LES EXPRESSIONS DE NOS GRANDS-MÈRES

Marianne Tillier

LES EXPRESSIONS DE NOS GRANDS-MÈRES

INÉDIT

Points

TEXTE INTÉGRAL

ISBN 978-2-7578-0838-2

LE GOÛT DES MOTS

UNE COLLECTION DIRIGÉE PAR PHILIPPE DELERM

Les mots nous intimident. Ils sont là, mais semblent dépasser nos pensées, nos émotions, nos sensations. Souvent, nous disons : « Je ne trouve pas les mots. » Pourtant, les mots ne seraient rien sans nous. Ils sont déçus de rencontrer notre respect, quand ils voudraient notre amitié. Pour les apprivoiser, il faut les soupeser, les regarder, apprendre leurs histoires, et puis jouer avec eux, sourire avec eux. Les approcher pour mieux les savourer, les saluer, et toujours un peu en retrait se dire : « Je l'ai sur le bout de la langue – le goût du mot qui ne me manque déjà plus. »

Ph. D.

À mes grands-mères,
Anne-Marie qui n'a jamais prononcé
l'une de ces expressions,
Et Monique qui les connaît toutes.

À Sandrine, aussi, avec qui je partage
chaque instant de cette histoire.

En voiture, Simone, c'est moi qui conduis, c'est toi qui klaxonnes !

« Démarrons, allons-y ; allez ! »

Simone ? Elle a réellement existé ! En 1929, Simone-Louise de Pinet de Borde obtient son permis de conduire. Elle a alors 19 ans. Simone devient célèbre en participant à des rallyes automobiles, un univers très masculin. Quand elle arrête la compétition, en 1957, elle devient directrice d'auto-école. Quelques années plus tard, en 1962, Guy Lux présente sur l'ORTF l'émission *Intervilles* avec les vachettes, Léon Zitrone et une autre Simone : Simone Garnier. Déjà populaire, l'apostrophe de Guy Lux à la présentatrice est reprise dans les foyers. Par ailleurs, pour les nostalgiques du tandem Guy Lux-Léon Zitrone, sachez qu'ils ont même sorti un 45-tours : *Le Tango d'Intervilles*. Ils n'y font pas référence à Simone, mais on y entend quelques-unes de leurs phrases cultes, comme « Je ne vous entends pas »... C'étaient les débuts de la télé, et la technique n'était pas encore au rendez-vous.

Demain, on rase gratis

**« On nous fait une promesse
que l'on ne tiendra pas. »**

La petite histoire veut qu'un barbier ait accroché à la porte de sa boutique l'écriteau « Demain, on rase gratis ». Les clients qui le croyaient pouvaient bien revenir : la pancarte étant toujours suspendue, le commerçant remettait indéfiniment sa promesse au lendemain.

Des nèfles !

« Rien du tout ! Ça ne va pas, la tête ! »

Nos grands-mères, incrédules ou outrées, s'exclamaient « *Des nèfles !* ». Pour marquer nettement leur opposition, elles invoquaient un fruit particulièrement fade qu'on consommait en confiture ou en compote… Mais elles pouvaient tout aussi bien sortir « *Des navets !* », ces légumes sans goût qu'on trouvait en quantité sur les étalages des marchés d'après-guerre. Loin d'être à court d'imagination, elles dénichaient aussi leurs formules au rayon bricolage et ne se privaient pas de lancer à la cantonade un « *Des clous !* » bien senti. Rejetant en bloc une affirmation, elles lui déniaient toute valeur. De la même façon, on continue de dire *Ça ne vaut pas un clou*, c'est-à-dire « ça ne vaut rien, même pas un clou ».

Il a des oursins dans les poches

« Il est avare. »

Il est peut-être délicieux, mais sa piqûre est douloureuse ! Loin de son milieu naturel et des plateaux de fruits de mer, le petit animal marin peut se montrer redoutable… Car celui qui *a des oursins dans les poches* n'y glisse pas la main, de peur de s'y piquer. En cela, il est l'exact opposé de celui qui *met la main à la poche* – qui donne de l'argent. Agacé par le comportement du pingre, on peut toutefois lui rétorquer *Ça ne te servira à rien d'être le plus riche du cimetière*. Mais pointer son comportement excessif n'y changera sans doute rien, comme le prouve la tirade d'Harpagon, dans *L'Avare*, de Molière, après le vol de sa cassette :

> « Hélas ! Mon pauvre argent, mon pauvre argent, mon cher ami ! On m'a privé de toi ; et puisque tu m'es enlevé, j'ai perdu mon support, ma consolation, ma joie ; tout est fini pour moi, et je n'ai plus que faire au monde : sans toi, il m'est impossible de vivre. C'en est fait, je n'en puis plus ; je me meurs, je suis mort, je suis enterré. »

Ça ne vaut pas un pet de lapin

« Ça ne vaut rien. »

Dans la vie, il y a des événements bien plus importants et dramatiques qu'un pet, même si ce gaz intestinal plus ou moins bruyant et odorant peut provoquer une gêne et un inconfort passagers en société. Et, forcément, un pet de lapin est encore plus insignifiant qu'un vent humain ! Mais quelle que soit son origine, la flatuosité possède une caractéristique : la vitesse... À la fin du XIXe siècle, on *lâchait quelqu'un comme un pet* quand on l'abandonnait précipitamment. Après, on *filait*, *partait* ou on *se sauvait comme un pet*. Puis, histoire d'insister encore plus sur la rapidité, quelqu'un pouvait *filer comme un pet sur une toile cirée* lorsqu'il s'en allait sans demander son reste. Enfin, au début du XXe siècle, les adultes pouvaient surprendre un enfant s'écrier *pè ! pè !*, « attention ». Cette interjection jouant sur l'homonymie de *paix !*, « chut », et de *pet* servait d'avertissement entre écoliers. Comprenez : il y avait des bêtises dans l'air !

Petit chenapan !

« Petite crapule ! Vaurien ! »

Voilà une façon affectueuse d'interpeller un enfant qui n'avait rien d'aimable à l'origine ! *Chenapan* vient en effet de l'allemand *schnapphahn*, du verbe *schnappen*, « attraper », et de *hahn*, « coq », qui désignait un voleur de grand chemin. Et, pendant longtemps, un adulte qu'on traitait de *chenapan* était une personne malhonnête et sans scrupules.

Il est trempé comme une soupe

« Il est mouillé jusqu'aux os. »

Pour nous, la *soupe* s'apparente à un bouillon de légumes. Mais au XVIIIe siècle, il s'agissait de la tranche de pain qu'on arrosait ou qu'on faisait tremper dans ce bouillon. Quand on *taillait la soupe*, on coupait des tranches pour le potage, et lorsqu'on *trempait la soupe*, on mettait les morceaux de pain dans la marmite avant de servir. *Être trempé comme une soupe* signifie donc « être mouillé par la pluie comme une tranche de pain imbibée de bouillon ».

Il travaille du chapeau

« Il est un peu fou. »

Quand *la tête travaille*, on réfléchit beaucoup. Mais lorsqu'on *travaille du chapeau*, on n'a pas les idées en place, de la même manière que le bois qui *travaille* se déforme… Avant, le chapeau symbolisait la condition sociale : un *monsieur à chapeau* était un bourgeois. Il se distinguait des ouvriers et des paysans qui portaient des casquettes ou des bonnets. Selon les expressions, le mot a pris des sens très différents, comme *porter le chapeau*, « être jugé coupable », et *tirer son chapeau* ou *chapeau bas*, qui expriment l'admiration. *T'occupe pas du chapeau de la gamine, c'est moi qui paie les rubans* est une manière plus développée et plus fantaisiste de dire « Occupe-toi de tes affaires ». Par ailleurs, pour parler d'une personne azimutée, il existe bien d'autres formules : *Il ondule de la toiture*, *Il a une araignée au plafond*, *Il a un petit vélo dans la tête*… Sans oublier *Il yoyotte de la touffe*, la *touffe* désignant le cheveu et, par métonymie, la tête.

Un peu, mon neveu !

« Évidemment ! Bien sûr ! »

Tu parles, Charles (Cause toujours, tu m'intéresses), *Au hasard, Balthazar* (À l'aventure ! Prenons le risque !), *Tout juste, Auguste !* (Bien vu)... Ces célèbres exclamations ne reposent que sur de simples rimes : faciles à dire, elles sont faciles à retenir... La liste ne s'arrête pas là : *Tu l'as dit, bouffi* (C'est exact), *Allons-y, Allonzo* (En avant), *Circule, virgule* (Du balai !), *À l'aise, Blaise* (Facile), *Fonce, Alphonse* (Dépêche-toi), *Ça colle, Anatole* (Pas de problème), *À la tienne, Étienne* (À ta santé), *Tu vas me le payer, Aglaé* (Je me vengerai !)...

C'est la fin des haricots

« C'est la fin de tout. »

Dans les pensionnats et les internats, c'était la formule consacrée quand la nourriture venait à manquer. Il n'y avait alors même plus de haricots à servir aux élèves, ces légumes constituant la base de leurs repas. En argot, au XIXe siècle, *haricot* avait aussi le sens figuré d'« orteil ». Ainsi, *Ça me court sur le haricot*, la variante de *Ça me court*, « ça m'exaspère », évoque le fait de marcher sur les pieds de quelqu'un, un peu comme *Tu me casses les pieds*.

Ciel pommelé et femme fardée sont de courte durée

« Les artifices dont usent les femmes pour s'embellir sont aussi éphémères qu'un ciel changeant. »

Un dicton météorologique dit *Ciel pommelé, vent va souffler*… Quand les nuages ronds envahissent le ciel, ils sont en général annonciateurs de changement. Et lorsque les femmes se maquillent, fards, poudres et autres rouges à lèvres ne peuvent faire illusion qu'un temps. Ce proverbe sonne donc comme un avertissement : méfiez-vous des surprises que vous réserve le monde… Cela dit, si vous faites du gringue à une femme au naturel un jour de pluie, vous éviterez toute déception.

C'est un sacré loustic !

« Quel farceur ! Quel énergumène ! »

Loustic vient de l'allemand *lustig*, « gai ». Au XVIIIe siècle, il désignait un bouffon rattaché aux régiments suisses. Son travail ? Distraire les troupes quand elles se trouvaient loin de chez elles… Avec le temps, on a fini par appeler *loustic* tout individu qui amusait la galerie par ses plaisanteries, mais aussi un homme qui déplaisait parce qu'on le trouvait étrange : le *drôle de loustic*. D'ailleurs, on a aussi appelé ce genre de type un *drôle de zèbre*, et même un *drôle de zigue*, mot formé sur *gigue*, « personne enjouée »… Comme son origine le laisse supposer, ce n'était pas toujours un qualificatif négatif : on pouvait *faire le zigue*, « le pitre », ou être un *bon zigue*, quelqu'un de bien.

La semaine des quatre jeudis

« Jamais. »

Au XVe siècle, on aurait bien aimé qu'existe *la semaine des deux jeudis*, probablement parce que le jeudi était un jour faste durant lequel les chrétiens mangeaient tout leur soûl en prévision du jeûne du vendredi. Puis, au fil du temps, la machine à rêve s'emballa : vint *la semaine des trois jeudis* et, plus tard, au XIXe siècle, celle *des quatre jeudis*. Il faut dire que le choix était judicieux : à cette époque, il correspondait à la journée de repos des écoliers !

Il s'est fait chanter Ramona

« Il s'est fait réprimander, engueuler. »

Auparavant, on disait *Il s'est fait ramoner*. Ce verbe, qui vient de *ramon*, « balai », a pris au fil du temps le sens de « balayer », « rosser avec un balai », « traiter durement » et, pour finir, « enguirlander ». Puis un air de musique passa par là… Bien avant Patrick Bruel et *Entre-deux…*, son album de reprises du patrimoine français sorti en 2002, de nombreux chanteurs entonnèrent le refrain de *Ramona* :

> « Ramona, j'ai fait un rêve merveilleux
> Ramona, nous étions partis tous les deux… »

C'est Saint-Granier, grand personnage du music-hall de l'entre-deux-guerres, qui adapta en français ce titre de L. Wolfe Gilbert en 1927. Il eut beau écrire de nombreuses autres chansons par la suite, faire du cinéma, diriger la Paramount France, être journaliste pour *Le Matin* ou créer le premier radio-crochet français, on l'associa toute sa vie à *Ramona*, ce qui avait tendance à l'exaspérer ! En 1928, Fred Gouin, célèbre chanteur et compagnon de Berthe Sylva, interpréta la version qui fut un succès : on la retrouve aujourd'hui encore sur les anthologies de l'époque. Et même l'illustre Tino Rossi se lança dans une reprise en 1970 ! Mais c'est dès les années 1930 que la chanson, sur toutes les lèvres, donna naissance à l'expression *se faire chanter Ramona*, bien plus drôle qu'un simple *se faire ramoner*. Pour l'employer à bon escient, signalons toutefois qu'elle a un second sens, très vulgaire. Certains l'utilisent en effet pour évoquer une relation sexuelle, la formule étant cette fois construite sur l'image parlante du va-et-vient du balai lors de l'entretien d'un conduit de cheminée.

Mêle-toi de tes oignons

« Occupe-toi de tes affaires. »

Quand on vous demande de vous *mêler de vos oignons*, c'est franc, c'est direct : a priori, pas la peine d'insister. L'expression n'est guère aimable, surtout quand on sait que le mot *oignon* signifiait « anus » en argot, ce qui donnerait grossièrement « Mêle-toi de ton cul ». À choisir, on lui préférera le proverbe plus policé *Chacun son métier et les vaches seront bien gardées*, « tout ira bien si chacun se mêle de ce qui le regarde ».

Il a les yeux bordés d'anchois

« Il a le contour des yeux rougi. »

On emploie cette expression pour désigner des paupières rouges, enflammées. Au fond, vaut-il mieux dire à quelqu'un qu'il a *les yeux bordés d'anchois* ou qu'ils sont *bordés de jambon* ? À vous de trancher ! Dans *Les Excentricités du langage**, Lorédan Larchey citait ce dialogue de Vidal :

> « – Je veux avoir ta femme.
> – Tu ne l'auras pas.
> – Je l'aurai, et tu prendras ma guenon aux yeux bordés d'anchois. »

Nom d'un petit bonhomme !

« Nom de Dieu ; zut. »

Nombre d'exclamations sont tirées du juron des jurons, blasphématoire à souhait : *nom de Dieu*. Pour continuer de pester sans commettre de sacrilège, on a trouvé une astuce : remplacer Dieu par un autre mot. Par exemple, *nom d'un petit bonhomme*, *nom de nom*, *nom*

* *Les Excentricités du langage*, Lorédan Larchey, E. Dentu, 1865.

d'une pipe, nom d'un chien... Selon l'humeur, on le profère énervé, surpris ou pour insister sur ce qu'on dit : « J'avais raison, *nom de nom !* » Notons que c'est l'expression tout entière qui forme le juron. En effet, un simple « Pipe ! » ou « Chien ! », même prononcés avec conviction, vous vaudront quelques regards interloqués.

Il est comme une poule qui a trouvé un couteau

« Il est déconcerté ; il ne sait pas quoi faire. »

Voyez une poule dans une basse-cour : elle caquette, elle court, elle picore... Un rien affole ce volatile peu réputé pour son intelligence. Une poule qui trouverait un couteau ne le prendrait certainement pas sous son aile pour aller se couper une tranche de pain et se faire un bon gueuleton ! Parmi les *Proverbes libyens recueillis par Roger Chambard**, on trouve une expression semblable, *Comme la poule qui gratte la terre de dessus un couteau*, mais dont le sens est tout autre : « Donner des verges pour se faire fouetter. » Ce proverbe est illustré par l'histoire suivante :

> « Quelqu'un se trouvait à la campagne. Il vit une poule isolée et dit : "Je lui couperais bien le cou, si j'avais un couteau." À ce moment la poule, qui gratte la terre, découvre un couteau avec lequel l'homme lui coupe le cou. »

* *Proverbes libyens recueillis par Roger Chambard*, édités par Gilda Nataf et Barbara Graille avec la collaboration d'Aziza Boucherit, éditions Karthala, 2002.

Ça fait la rue Michel

« Le compte y est ; ça suffit. »

L'expression est née d'un simple jeu de mots sur la rue Michel-le-Comte, qui se trouve dans le 3e arrondissement de Paris, entre la rue Beaubourg et la rue du Temple : « Ça fait le compte », semblable à « Ça fait le Comte », devint « *Ça fait la rue Michel* ». Les chauffeurs de taxi du XIXe siècle, les cochers, seraient à l'origine de cette boutade qu'ils lançaient en déposant leurs clients. Mais ce n'est pas la seule rue parisienne qui ait donné naissance à un calembour ! Au début du XXe siècle, les ferrailleurs, dont beaucoup étaient installés rue de Lappe, revenaient parfois bredouilles après avoir *fait les rues* à la recherche de matériaux. On leur doit les expressions *faire la rue de Lappe* ou *travailler pour la rue de Lappe*, « ne pas gagner un sou », construites sur l'homonymie de *Lappe* et *lap*. Car à l'époque, on pouvait aussi *travailler pour lap*, « pour rien »... Un mot pas si obscur qu'il n'y paraît : *lap* est l'apocope de l'exclamation *la peau !*, elle-même une ellipse d'expressions telles que *peau de balle* (en référence aux parties génitales masculines) ou *peau de zébi* (empruntée aux zouaves revenus d'Algérie, *zébi* étant tiré de l'arabe *zebbi*, « mon pénis »), qui signifient « rien du tout ».

Il a du sang de navet

« Il manque d'énergie, de courage ; il est lâche. »

On dit aussi *avoir du jus de navet dans les veines*. Le légume est associé à la pâleur et à l'anémie, ce que l'on retrouve dans l'expression *être blanc comme un navet*. *Avoir du sang de navet*, c'est manquer de globules rouges, être faible physiquement ou mentalement. Le mot possède toujours une valeur négative : il peut servir à marquer son refus*, à qualifier un mauvais film ou à traiter quelqu'un d'idiot. Ainsi, dans *Voyage au bout de la nuit*, de Céline, Ferdinand, qui court s'engager pour voir si la guerre est aussi horrible qu'il la décrit, lance à son ami Arthur : « On verra bien eh navet ! »

Tu peux rhabiller les gamins ?

« Ressers-nous un verre. »

Quand les verres sont vides, il faut les remplir ! Alors, au bistrot, on sert une autre tournée en *rhabillant les gamins* : on remplit à nouveau les verres. Et, à la place d'un pichet de vin, on peut commander une *fillette*, d'une contenance d'un tiers de litre environ. On peut aussi boire un *galopin*, un petit verre de bière qui fait la moitié d'un demi.

* Voir l'expression *Des nèfles !*, p. 12.

Les Anglais ont débarqué

« Elle a ses règles. »

Du temps des guerres napoléoniennes, les fantassins anglais étaient vêtus d'une tunique rouge, de la couleur du sang. Après avoir envahi la France et remporté la bataille de Waterloo en 1815, les Anglais n'étaient guère appréciés dans nos contrées... Voilà comment la couleur, l'invasion (le flux menstruel s'apparentant au flot d'une armée qui attaque un pays) et l'anglophobie associées ont créé une expression. On trouve la variante *Elle a ses Anglais*. Et, sur le même thème, *Elle a ses ours* a aussi connu un certain succès. Cette dernière serait-elle née d'un jeu de mots sur *avoir ses jours* ? En effet, durant ses « jours », une femme ne se montrait pas forcément en société, de la même manière que celui qu'on traite d'*ours* (qu'on prononçait alors « our »), voire d'*ours mal léché*, évite le monde.

Pleure, tu pisseras moins

« Allez, pleure un bon coup. »

Un soupçon d'ironie point dans cet encouragement à pleurer. De même, la formule *Pleure, ça te fera de beaux yeux* rappelle à l'éploré que, sitôt sa crise de larmes terminée, il aura les yeux rougis et gonflés... Et pour mettre fin à des jérémiades, rien de tel que *Pleure pas, tu la reverras, ta mère*, une façon d'intimer : « Cesse tes enfantillages. »

Faire ça ou peigner la girafe…

« Il ne fait rien ; il se la coule douce. »

On raconte que le gardien de la ménagerie du Jardin des Plantes, à Paris, avait la charge de la première girafe présentée dans un zoo français. Un jour, alors que ses supérieurs lui demandaient des comptes, il leur répondit qu'il peignait la girafe… Avec son long cou et sa grande taille, l'activité devait effectivement lui prendre tout son temps. Malheureusement, si savoureuse soit-elle, l'anecdote aurait été inventée… Toutefois, en 1826, une girafe du nom de Zarafa posa bel et bien pour la première fois une patte sur le sol français. Le pacha égyptien Mohammed Ali l'avait offerte à Charles X. Après son arrivée par bateau, on lui avait fait traverser toute la France, de Marseille à Paris, pour la présenter au roi, puis l'amener au zoo. Très populaire, l'animal marqua l'imagination des Français. C'est d'ailleurs depuis cette époque qu'on qualifie une femme grande et maigre de *girafe*… De nos jours, ne subsiste au Muséum national d'histoire naturelle que le crâne de Zarafa, exposé dans la galerie d'anatomie comparée. Mais revenons à notre *peigner la girafe*. Moins pittoresque et plus triviale, l'autre hypothèse sur son origine serait liée à la masturbation. Dans un second temps, comme les verbes *branler* ou *glander*, elle aurait pris le sens figuré de « ne rien faire ».

Compte là-dessus et bois de l'eau fraîche !

« Tu peux toujours courir ; il n'y a aucune chance que cela se produise. »

Au sens figuré, on peut nous faire *avaler des bobards*, voire *des couleuvres*, lorsqu'on nous raconte n'importe quoi et qu'on y croit... Avec *Compte là-dessus et bois de l'eau*, on charrie une personne naïve : elle a avalé une telle énormité qu'elle n'a plus qu'à la faire passer avec un grand verre d'eau.

Tu vas te casser la margoulette

« Tu vas tomber. »

Au XVIIIe siècle, *margoulette* signifiait « bouche », « mâchoire ». Puis au XIXe siècle, par synecdoque (une figure de style qui consiste, par un glissement de sens, à désigner la partie par le tout), le mot fit référence au visage et à la tête. S'il s'agit simplement d'une mise en garde quand quelqu'un risque de *se casser la figure*, elle avait un sens beaucoup plus fort lors de la Première Guerre mondiale. À l'époque, *se faire casser la margoulette*, c'était « se faire tuer », une balle dans la tête ou un tir d'obus ayant vite fait d'abattre les soldats. On parlait également de *cassage de têtes* lors des combats, une formule citée par Gaston Esnault dans *Le Poilu tel qu'il se parle** : « Préférer une position un peu en arrière au cassage de têtes de la première ligne. »

* *Le Poilu tel qu'il se parle*, Gaston Esnault, Slatkine, 1971.

Il n'attache pas son chien avec des saucisses

« Il est pingre. »

L'attitude de la personne qui *ne donne pas sa part aux chiens*, c'est-à-dire qui « profite d'une chose en la gardant pour elle », pas forcément aimable, peut s'avérer inhabituelle. Au contraire, celui qui *n'attache pas son chien avec des saucisses* est toujours proche de ses sous… Acheter un objet aussi éphémère qu'une laisse de saucisses, très peu pour lui ! De même, au XVIIe siècle, les expressions *Il n'ose cracher de peur d'avoir soif*, *Il a des écus moisis* ou *Il crie famine sur un tas de blé* stigmatisent le comportement de l'avare, regardant et parcimonieux.

Minute, papillon !

« Un instant ! Je suis à vous dans quelques secondes ! »

Le Canard enchaîné se targue d'avoir créé cette expression. Selon le journal, monsieur Papillon était serveur au Café du Cadran, à Paris, dans les années 1930. Ses clients, parmi lesquels des journalistes du *Canard enchaîné*, s'entendaient régulièrement répondre quand ils l'interpellaient : « Minute, j'arrive ! » Amusés, ils s'approprièrent la repartie du garçon de café en la modifiant légèrement… Mais peut-être l'ont-ils simplement réinventée, car elle serait vraisemblablement plus ancienne et daterait du début du

XXe siècle. Dans le *Dictionnaire d'expressions et locutions*, les linguistes Alain Rey et Sophie Chantreau y voient la métaphore du papillon qui butine très vite de fleur en fleur sans jamais s'arrêter et qui passe donc trop rapidement d'une chose à l'autre.

C'est croquignolet !

« Comme c'est mignon ! »

Tirant son origine des *croquignoles*, de petits gâteaux secs qui croquent sous la dent, le mot *croquignolet* désigne quelque chose de charmant. Cependant, il se teinte souvent d'ironie pour pointer l'aspect ridicule, désuet ou bizarre de ce dont on parle.

La beauté ne se mange pas en salade

« La beauté ne suffit pas si l'on veut partager sa vie avec quelqu'un. »

La plus belle fille du monde ne peut donner que ce qu'elle a, *On ne se marie pas pour les yeux*… C'est bien beau de s'enticher d'une belle plante, mais les proverbes sont là pour rappeler à l'ordre ceux qui pourraient s'égarer : pour vivre en couple, il faut dépasser les apparences. En revanche, tout le monde, même un célibataire endurci, peut *se plaindre que la mariée est trop belle*, se plaindre d'une situation qui devrait nous rendre heureux.

Il a baptisé le pinard

« Il a coupé le vin avec de l'eau. »

L'expression vient directement des tranchées, durant la Première Guerre mondiale. On la retrouve dans une chanson anonyme, *Le Rata*, retranscrite en 1917 dans *Le Poilu marmité*, journal des tranchées dirigé par Jean Teulade :

> « Toujours content, jamais d'humeur chagrine,
> Chaque cuistot est un joyeux lascar,
> Et de bien voir toujours sa bonne mine
> On lui pardonne d'baptiser le pinard. »

C'est pas piqué des vers

« C'est particulièrement réussi ; c'est osé. »

Autrefois, on disait qu'une étoffe n'était *pas piquée des vers* quand elle était bien conservée. Elle avait été épargnée par les insectes qui laissaient de petits trous sur leur passage lorsqu'ils rongeaient le tissu ou le bois. Au fur et à mesure, le sens figuré s'est imposé. D'abord, pour dire d'une femme qu'elle était bien conservée… Ainsi, dans *Bel-Ami*, de Maupassant, Georges Duroy, qui apprend que deux jeunes femmes sont à marier, s'exclame : « Eh ! La mère n'est pas encore piquée des vers. » Aujourd'hui, quelque chose qui *n'est pas piqué des vers* est « remarquable », tandis que des propos sont « bien sentis », voire « choquants », un peu comme lorsqu'on *en dit des vertes et des pas mûres*. L'expression *C'est pas piqué des hannetons*, apparue ultérieurement, a le même sens.

C'est de la poudre de perlimpinpin

« C'est un remède inefficace. »

Le mot *perlimpinpin* serait né d'un jeu sur le redoublement de sonorités imitant une formule magique comme *abracadabra*. On appelait ainsi les produits vendus par des charlatans qui vantaient leurs vertus curatives à des clients crédules. Aujourd'hui, la *poudre de perlimpinpin* désigne simplement un médicament qui ne soigne pas ou, plus généralement, une chose illusoire.

Encore ça que les Boches n'auront pas !

« C'est toujours ça de pris. »

On les appelait les Chleuhs, les Frisés ou les Fritz durant la Seconde Guerre mondiale… Autant de surnoms péjoratifs témoignant de l'animosité des Français contre les Allemands. Et pour conclure un repas, on remit au goût du jour une expression datant probablement de la guerre de 1870 : *C'est autant que les Prussiens n'auront pas*. Dans les années 1940 apparut aussi *J'ai vu assez d'horreurs pendant la guerre !*, « je ne veux pas voir ça », qui, détournant le discours des anciens combattants sur les horreurs de la guerre, était lancé pour exprimer son dégoût. Ensuite employée en guise de plaisanterie, la formule visa une personne mal habillée ou légèrement vêtue.

Elle a vu le loup

« Elle a perdu sa virginité. »

Il est connu comme le loup blanc, *J'ai une faim de loup*, *Il fait noir comme dans la gueule du loup*, *Il fait un froid de loup*... Objet de mythes et de légendes, l'animal a inévitablement droit à son lot d'expressions imagées. Au départ, un homme qui *avait vu le loup* était aguerri. Puis du jeune homme courageux, on est passé à la jeune femme délurée qui avait perdu son pucelage, le danger étant alors de perdre sa réputation.

Il est raide comme un passe-lacet

« Il est fauché. »

Les *lacets* étaient autrefois de fines cordes dont les gendarmes se servaient en guise de menottes. Le mot *passe-lacet*, tout comme *marchand de lacets*, désignait donc un gendarme. Mais pourquoi un gendarme serait-il sans le sou ? Soit il y a eu une confusion entre les deux sens de *raide*, « ruiné » et « sévère », soit les gendarmes étaient réellement mal payés... Dans le même style, on peut dire de quelqu'un qu'il est *raide comme la justice*.

C'est amer comme chicotin

« C'est particulièrement amer. »

Le mot *chicotin* serait une déformation de *socotrin*, c'est-à-dire « qui vient de Socotra ». Sur cette île située au large du Yémen, on trouve l'aloès, une plante grasse dont on extrait le suc, appelé *chicotin*. Cette substance est utilisée en pharmacie, notamment pour ses vertus hydratantes, mais aussi en raison de ses propriétés laxatives. Elle a d'ailleurs si mauvais goût qu'une méthode de grand-mère pour arrêter de se ronger les ongles consiste à les badigeonner de teinture d'aloès !

Ça vaut dix

« C'est hilarant ; quelle histoire ! »

Aujourd'hui, on lancerait *Ça vaut son pesant de cacahuètes*. Mais auparavant, on lui préférait *Ça vaut dix*, qui rappelait la meilleure note que l'on pouvait obtenir à l'école. Et encore avant, à la fin du XIXe siècle, *Ça vaut l'os* signifiait plutôt « ce n'est pas banal », au sens de « ça a de la valeur », l'*os* désignant l'argent en argot : quand on *avait l'os*, on était riche. Également passée de mode, *Ça vaut le jus*, « ça vaut la peine », a d'abord eu le sens de « c'est une affaire juteuse, fructueuse » pour prendre la définition plus générale de « c'est digne d'intérêt ».

On dirait le bon Dieu qui vous descend en culotte de velours dans l'estomac

« C'est exquis. »

Il n'y a pas que *le bon Dieu* qui peut vous *descendre en culotte de velours dans l'estomac*, il y a aussi *le petit Jésus* ! Sinon, on dira plus sobrement *C'est du velours*. Comme le tissu soyeux et doux, le velours est un bon vin qu'on sirote avec délectation. Il arrive aussi qu'on invoque le bon Dieu et sa culotte de velours devant un plat délicieux.

Il en est resté baba

« Il est resté bouche bée, stupéfait. »

Baba est une onomatopée qui marque l'étonnement : la personne dont on parle a l'air ahurie et n'arrive plus à prononcer un son intelligible. Le mot aurait été formé à partir d'*ébahi* ou de *babines* par redoublement de la syllabe *ba*. Attention, ce *baba*-là n'a rien à voir avec celui qu'on trouve dans l'expression *Il l'a dans le baba* employée quand quelqu'un s'est fait avoir ou escroquer, et qui fait référence au postérieur. Auparavant, il désignait le sexe de la femme. Il pourrait, lui aussi, être tiré de *babines*, par analogie entre les lèvres de la bouche et celles de la vulve… Une locution qui n'est pas sans rappeler une façon crue et explicite de dire la même chose : *Il l'a dans le cul*.

Il est bouché à l'émeri

« Il est borné, idiot. »

Au XIXe siècle, pour rendre les bouteilles et les flacons étanches, on utilisait l'émeri, un abrasif permettant de polir le goulot et le bouchon pour qu'ils s'emboîtent parfaitement. Et, au figuré, une personne *bouchée à l'émeri* avait l'esprit hermétiquement fermé. Quand nos grands-mères trouvaient qu'elles avaient affaire à quelqu'un d'obtus, elles pouvaient aussi s'exclamer *Il est fin comme du gros sel*, ou développer *Il est fin comme du gros sel dans une boîte à sucre*.

Cela fera du bruit dans Landerneau

« Cette affaire va susciter des ragots ; ça va faire un scandale. »

Landerneau est une ville du Finistère, en Bretagne. L'expression est apparue la première fois sous la forme d'une réplique dans *Les Héritiers* (1796), une pièce de théâtre d'Alexandre Duval. L'intrigue se déroule à Landerneau, symbole pour l'auteur des petites villes de province où le moindre ragot est monté en épingle et devient l'objet de toutes les conversations. Dans la pièce, alors que son maître est donné pour mort, un domestique le formule d'ailleurs explicitement :

> « Je sais que, dans notre petite ville de Landerneau, en voilà au moins pour huit jours de conversation. Toutes nos commères vont arranger cela à leur manière. »

Ce nom propre est même devenu un nom commun dont on trouve dans *Le Petit Larousse* la définition suivante : « Milieu étroit et fermé ; microcosme. » On parle par exemple du *landerneau des affaires* pour évoquer un microcosme financier.

Quand les andouilles voleront, tu seras chef d'escadrille

« Tu es parfaitement stupide. »

En 1977, Leonil Mc Cormick arrangea une variante dans sa chanson *P'tit con* :

> « Quand les cons voleront, je serai sous-chef d'escadron
> Faut se faire une raison, on n'est jamais le roi des cons
> (Y a toujours plus con). »

Ça ne lui réussit visiblement pas, puisqu'il fit un bide… Avant lui, en 1968, Michel Audiard avait été plus inspiré en écrivant les dialogues du *Pacha* : « Le jour où on mettra les cons sur orbite, t'as pas fini de tourner. »

Il a les épaules en bouteille de Saint-Galmier

« Ses épaules sont étroites et tombantes. »

Saint-Galmier, ça ne vous dit rien ? Un indice : c'est une eau minérale gazeuse naturelle. Ça ne vous dit toujours rien ? Eh bien, en lisant attentivement l'étiquette des bouteilles de Badoit, vous découvrirez qu'elles proviennent des sources de Saint-Galmier, dans la région Rhône-Alpes. Dans les années 1930, on voit apparaître sur les réclames le docteur Bien-Vivre, un vieux bonhomme dessiné, une bouteille de Saint-Galmier-Badoit en guise de buste. Il vante les vertus de cette eau, « source de santé ». Sa forme est un peu plus oblongue qu'aujourd'hui, mais si vous regardez une bouteille de Badoit actuelle, vous vous ferez tout de même une idée de la physionomie de quelqu'un qui *a les épaules en bouteille de Saint-Galmier*.

C'est un peu fort de café !

« C'est invraisemblable ;
ça dépasse les bornes. »

Aujourd'hui, on commande un café serré comme on réclamait avant un café fort. Et, comme au figuré on disait déjà *C'est un peu fort* ou *C'est trop fort*, l'association s'est faite tout naturellement. Dans *Belle du Seigneur*, d'Albert Cohen, Adrien Deume, après avoir attendu toute la soirée Solal, invité à dîner, s'insurge :

> « "Un lapin de ce calibre, vraiment, c'est trop fort de café. À moins qu'il ne soit mort." Évidemment, s'il était mort, c'était une excuse valable. »

Il mène une vie de patachon

« C'est un fêtard ; il a une vie dissipée. »

Au XIXe siècle, la *patache* était une diligence peu confortable, qui transportait les voyageurs désargentés. Le *patachon* était son conducteur, toujours sur les routes avec sa voiture, faisant des arrêts fréquents. Comme il passait de taverne en taverne, on lui prêtait une vie agitée. *Mener une vie de bâton de chaise* signifie la même chose : « avoir une vie délurée, désordonnée. » Cette deuxième expression fait référence aux bâtons des chaises… à porteurs, dans des temps plus reculés. Si les patachons étaient tout le temps dehors, qu'il vente ou qu'il pleuve, à transbahuter leurs passagers, les bâtons de chaise étaient, eux, constamment soulevés, mis et démis par les porteurs pour faire monter ou descendre ceux qu'ils transportaient.

Il a avalé son acte de naissance

« Il est mort. »

D'abord, on a *avalé le goujon*, puis *sa langue*, *sa cuillère*, *sa fourchette*… Et même *son bulletin de naissance* avant *son acte* ! Quel que soit ce qu'on a bien pu avaler, on *passe l'arme à gauche*, cessant de respirer, comme étouffé. Il est donc fort probable qu'on se rende alors au *boulevard des allongés*, le cimetière, aux côtés de ceux qui *mangent les pissenlits par la racine*, reposant *à six pieds sous terre*.

Mange, tu sais pas qui te mangera

« Mange ! »

La phrase, qui s'adresse aux enfants, est à la fois un encouragement et une menace. Elle rappelle les contes de fées, dans lesquels, traditionnellement, l'ogre aime la chair fraîche... Comme dans *Le Petit Poucet*, de Charles Perrault, où le monstre fait souper le héros et ses frères « afin qu'ils ne maigrissent pas » pendant la nuit, pensant s'en faire un festin dès le lendemain. C'est évidemment sans compter l'astuce du Petit Poucet ! Toutefois, *Mange, tu ne sais pas qui te mangera* n'est pas la seule exhortation à finir son assiette. *Pour grandir, il faut manger de la soupe* date d'une époque où le potage constituait l'essentiel des repas.

Je m'en tamponne le coquillard

« Je m'en fiche. »

En argot, *coquillard* signifiait « œil ». Et, toujours en argot, *œil* est synonyme de *fesses* ! *Je m'en tamponne le coquillard* est donc une façon tout aussi malpolie de dire *Je m'en bats l'œil*, elle-même équivalente à *Je m'en bats les fesses*... Bref, une expression qui, même vieillie, ne doit pas être employée dans les dîners mondains !

C'est au poil

« C'est parfait ; ça a été fait avec précision. »

Dans le jargon de l'École des beaux-arts, un *dessin au poil* était un travail minutieux, qui reproduisait les détails au poil de pinceau près. Cette idée de précision induite par la petite dimension d'un poil, on la retrouve chez les aviateurs de la Première Guerre mondiale qui devaient *atterrir au poil* quelles que soient les conditions. Avec *être au poil*, on était pile à l'heure (*pile poil !*) et on réglait une chose *au poil*, « soigneusement ». Même quelqu'un pouvait être *au poil*, « parfait » ! Quant aux ouvriers, ils avaient leur manière bien à eux de qualifier un travail soigneux : *au plus petit poil du cul*. Comme si cela ne suffisait pas, beaucoup ont surenchéri au milieu du XXe siècle en disant *au quart de poil*.

Il est bête à manger du foin

« Il est vraiment stupide. »

À d'autres époques, on pouvait être *bête comme un mouton* ou *comme une oie*, mais là, c'est une autre façon de dire *bête comme un âne*, car celui qui mange du foin, c'est lui, évidemment. *Un âne bâté*, *têtu comme un âne*, *brailler comme un âne*… L'animal peut incarner la bêtise ou l'entêtement et ne participe jamais d'aucun compliment. Depuis le XIIIe siècle, on traite en effet régulièrement les imbéciles d'*ânes*, ce qui s'est concrétisé à l'école par le fameux bonnet dont on affublait les cancres. En revanche, si l'on affiche sa plus belle tête d'idiot pour, par exemple, obtenir de précieuses informations, on dit qu'on *fait l'âne pour avoir du son*. Une expression que l'on trouve déjà chez Rabelais, dans *Gargantua*, qui écrivait de son personnage : « Il faisoyt de l'asne pour avoir du bren », le *bren* étant le son.

Il est vacciné avec une aiguille de phono

« Il est bavard. »

On doit à Thomas Edison l'invention du phonographe. Le brevet fut déposé en 1877. Puis, bien avant l'apparition des lecteurs de CD et de fichiers MP3, furent créés successivement le Gramophone et l'électrophone. Mais on continua de les appeler communément *phono*. Quel est le lien avec l'homme ? Eh bien, avant, si l'on n'était pas très au fait de la technologie, on pouvait croire que l'aiguille apportait le son au microsillon, et non l'inverse. Quand on prononçait *Il est vacciné avec une aiguille de phono*, il n'était donc pas question de remède mais d'injection : comme une piqûre de vaccin nous inocule un produit ayant effet sur une longue durée, celle d'une aiguille de phono nous transmettrait un son continu. Ce n'est pas pour rien qu'on demande souvent aux bavards de *changer de disque* !

Il n'a pas cassé trois pattes à un canard

« Il n'a rien fait d'extraordinaire. »

Casser trois pattes à un canard qui n'en a que deux, ça, c'est incroyable ! On souligne ironiquement que quelqu'un n'a rien fait de remarquable. De la même manière, on dira *Ça ne casse pas des briques* ou *des vitres*.

Passez, muscade

« Le tour est joué. »

Aujourd'hui encore, la *muscade* est un accessoire indispensable à tout magicien qui se respecte. Cette petite boule de liège semblable à une noix de muscade sert à exécuter des tours de passe-passe dans lesquels elle apparaît et disparaît mystérieusement. Mais la formule *Passez, muscade*, que les escamoteurs employaient quand ils réussissaient leur numéro au nez et à la barbe des spectateurs, est passée de mode. L'art du prestidigitateur reste toutefois inchangé : réaliser de jolis tours agrémentés de beaux discours. Jean-Eugène Robert-Houdin, un célèbre magicien du XIXe siècle considéré comme le père de la magie moderne, a écrit un livre dans lequel il répertoriait ses numéros et proposait notamment cette introduction au jeu des gobelets* :

* *Comment on devient sorcier*, Jean-Eugène Robert-Houdin, Omnibus, 2006.

« Mesdames et messieurs,

Dans un siècle aussi éclairé que le nôtre, tant au réel qu'au figuré, n'est-il pas étonnant de voir se propager de jour en jour des erreurs grossières et de les trouver enracinées dans l'esprit public comme des lois immuables de la nature ?

Parmi ces erreurs, il en est une que je me propose de vous signaler et dont aujourd'hui j'aurai bon marché, je le pense. La voici :

Bien des personnes ont avancé et, entre autres, le célèbre Érasme, de Rotterdam, qu'un objet matériel ne peut se trouver que dans un endroit à la fois ; moi, messieurs, je soutiens, au contraire, que tout objet peut se trouver en plusieurs endroits au même instant et qu'il est également possible qu'il ne se trouve nulle part [...] »

Il est ficelé comme un saucisson

« Il est engoncé dans ses vêtements. »

Exercice de concentration : visualisez un saucisson. Il est long, sec, saupoudré de farine et la ficelle qui l'entoure le quadrille si bien qu'il est parfois difficile de l'enlever... Eh bien, une personne *ficelée comme une saucisson* est mal fagotée : elle porte des vêtements trop petits, étriqués ou qui ne lui vont pas. En sorte, ce n'est pas pire que d'être *mal ficelé*, c'est-à-dire « mal habillé » ou « vêtu d'un accoutrement ridicule ».

C'est clair comme du jus de chique

« Ce n'est pas clair du tout. »

De nos jours, la chique est passée de mode ; elle n'évoque plus grand-chose... Pourtant, quand nous marchons dans la rue et que nous voyons l'enseigne d'un bureau de tabac, ce losange rouge caractéristique symbolise une carotte de tabac, dont on se servait pour chiquer. Le chiqueur mâchait un rouleau de feuilles très serrées, la carotte, pour en extraire la nicotine puis le recrachait quand il avait fini. Dans le même genre, on trouve *C'est clair comme de l'eau de vaisselle* ou *C'est clair comme de l'eau de boudin*. Ces liquides peu ragoûtants s'opposent à l'eau de roche, limpide, de l'expression *C'est clair comme de l'eau de roche*, littéralement « comme l'eau qui jaillit de la roche ».

Et ta sœur ?

« Mêle-toi de ce qui te regarde. »

Encore une jolie façon de congédier un importun ! À l'interpellation *Et ta sœur ?*, l'interlocuteur peut répliquer du tac au tac *Elle bat le beurre*, une réponse qui joue sur la rime entre les deux phrases. En argot, *sœur* a signifié « femme », « maîtresse » ou « prostituée ». Ce sens tire probablement son origine du refrain d'une chanson à la mode au XIXe siècle, retranscrite dans le *Dictionnaire du français non conventionnel* de Jacques Cellard et Alain Rey:

« Et ta sœur, est-elle heureuse ?
A-t-elle z'évu [eu] beaucoup d'enfants ?
Fait-elle toujours la gueuse
Pour la somme de trois francs ? »

Il est propre comme un sou neuf

« Il est très propre. »

Au début, au XIXe siècle, *Il est propre comme un sou* faisait allusion aux pièces de monnaie étincelantes qui venaient d'être émises. Mais, très vite, on a précisé *Il brille comme un sou neuf* par opposition aux pièces usagées, noircies après avoir circulé de main en main.

Je m'en jette un derrière la cravate

« Je bois rapidement un verre. »

Plus simplement, on peut dire qu'on *s'en jette un* ou, plus drôle, qu'on *s'en jette un derrière le bouton de col*. Dans ce cas, il s'agit simplement d'un petit verre qu'on boit avant de partir… On sera moins rapide si on déclare *Je pourrais boire la mer avec ses poissons*, car il faut alors une grande quantité d'eau pour étancher sa soif ! Et, même si on boit beaucoup, cela ne fait pas de nous un ivrogne qui, lui, *boit comme un trou*. On dit aussi qu'il *a la dalle en pente*, la *dalle* désignant la gorge*. Enfin, impressionné par le soiffard qui ingurgite l'alcool sans

* Voir l'expression *On va casser la graine*, p. 103.

montrer le moindre signe d'ivresse, on s'exclamera : *Il a une descente que j'aimerais pas remonter à vélo !* Bref, rien à voir avec le buveur modéré qui exigera qu'on ne le serve *pas plus haut qu'une fourmi à genoux.*

Il a les bras à la retourne

« Il est paresseux. »

Durant la Première Guerre mondiale, les soldats critiquaient les flemmards d'un *Il les a à la phoque*… Entre *les avoir palmés, à la retourne* ou *retournés*, littéralement à l'envers, c'est du pareil au même : on est incapable de la moindre action. Mais on peut être paralysé uniquement par la stupéfaction, ce qu'on exprimera en disant *Les bras m'en tombent.*

Il a déménagé à la cloche de bois

« Il est parti discrètement, sans avoir payé son loyer ; il a mis la clé sous la porte. »

Cette expression tirerait son origine de la sonnette de la porte d'entrée des hôtels garnis. Quand les occupants n'arrivaient plus à payer, ils pouvaient tenter de calfeutrer la clochette pour s'esquiver sans bruit. Le plus souvent, les chambres étaient louées à la journée, à la semaine ou au mois et devaient être payées à l'avance ; parfois, cependant, les logeurs faisaient crédit et ils n'étaient alors pas à l'abri d'une mauvaise surprise… Ce genre d'hôtels étaient en effet le plus souvent le lieu de transition de gens peu fortunés, en général des hommes seuls, ouvriers, provinciaux ou étrangers, qui venaient à Paris pour se faire un peu d'argent ou pour trouver un emploi et s'installer durablement dans la capitale. De nos jours, les meublés, dont le nombre a considérablement chuté, accueillent une population défavorisée aux faibles revenus, des familles et des immigrés souvent marginalisés.

Il s'est mis la rate au court-bouillon

« Il s'est fait du souci ; il s'est donné de la peine. »

Dans l'Antiquité, Hippocrate supposait que la rate était à l'origine de l'excès de bile noire, la mélancolie. Sa théorie a été vulgarisée, au point que, dans l'imaginaire populaire, l'organe est devenu le siège des humeurs, bonnes ou mauvaises. Cette croyance a donné *désopiler la rate*, c'est-à-dire « faire rire », ou *se décharger la rate*, « laisser éclater sa colère ». Mais, du temps de nos grands-mères, on trouvait plutôt *Il ne se foule pas la rate*, « il ne fait aucun effort », ou *Il s'est mis la rate au court-bouillon*, « il s'est vraiment inquiété ».

Il ne trouverait pas d'eau à la rivière

« Il est incapable d'apercevoir les choses évidentes. »

Qui ne voit pas l'eau qui coule dans le lit de la rivière n'a pas de sens pratique ou n'est pas très futé… Il existe des variantes : *Il ne trouverait pas d'eau au lac*, *à la mer* ou, dans la région de Lyon, *au Rhône*.

Il est gai comme un pinson

« Il est de bonne humeur. »

Au XVIIIe siècle, dans son *Histoire naturelle des oiseaux*, le célèbre naturaliste Buffon décrivait le volatile en ces termes :

> « Le pinson est un oiseau très vif ; on le voit toujours en mouvement ; et cela, joint à la gaieté de son chant, a donné lieu sans doute à la façon de parler proverbiale, gai comme un pinson. Il commence à chanter de fort bonne heure au printemps, et plusieurs jours avant le rossignol ; il finit vers le solstice d'été ; son chant a paru assez intéressant pour qu'on l'analysât ; on y distingue un prélude, un roulement, une finale ; on a donné des noms particuliers à chaque reprise, on les a presque notées, et les plus grands connaisseurs de ces petites choses s'accordent à dire que la dernière reprise est la plus agréable. »

On a fait une bombe à tout casser !

« On a fait la bringue ; on a bien mangé et bien bu. »

À la fin du XIXe siècle, *faire la bombe* naît de l'expression *faire bombance*, dont elle est l'abréviation, qui qualifie un bon repas bien arrosé. Il se peut que l'expression ait ensuite été associée à l'engin explosif dans l'imaginaire populaire. *Faire une bombe à tout casser*, c'est faire la fête avec tous les excès que cela peut comporter.

Il est allé chez le merlan

« Il est allé chez le coiffeur. »

Mais pourquoi traite-t-on ces pauvres coiffeurs de merlans ? Tout simplement parce que, au XVIIIe siècle, les perruquiers qui poudraient les coiffures de talc se retrouvaient souvent couverts de cette substance blanche. Ils avaient alors l'apparence des poissons qu'on saupoudre de farine pour les faire frire. Pierre Desproges, qui disait haïr les coiffeurs, en a fait un sketch, *Haute coiffure**, au cours duquel il expliquait :

> « J'ai horreur qu'un Brummel de bal disco me gerbe dans le cou le crachin postillonnant des réflexions de philosophie banlieusarde que lui inspirent sporadiquement la hausse du dollar, l'anus artificiel du pape, l'inappétence sexuelle de la petite Grimaldi depuis la mort de sa mère en bagnole, l'agonie de Saint-Étienne, le courage des Polonais, le déclin de l'Occident, le fibrome de sa femme – pas de la femme de l'Occident, de sa femme à lui, le super merlan néoromantique de mes deux ! –, la montée de la violence dans les quartiers cosmopolites, et puis, bien sûr, l'indiscipline problématique de la raie de mon quoi ? De la raie de mon crâne. »

* *Textes de scène*, Pierre Desproges, Éditions du Seuil, 1988.

Il est de la revue

« Il n'en profitera pas ; il a manqué son coup. »

Ici, l'article défini fait toute la différence… En effet, dans *Nous sommes de revue* et *Nous sommes gens de revue*, il est question de personnes qui sont appelées à se revoir. En revanche, *Il est de la revue*, d'origine militaire, fait référence à l'inspection des troupes, considérée comme une corvée pour le soldat désigné.

Bonne renommée vaut mieux que ceinture dorée

« L'estime que l'on a de vous est plus importante que la richesse. »

Comprenez : mieux vaut être pauvre et avoir une bonne réputation qu'être riche et mal considéré. Ce dicton aurait d'abord été destiné aux femmes, la *ceinture dorée* faisant référence à la longue bourse (appelée ceinture) remplie de pièces d'or que les courtisanes accrochaient à leur taille. Ce qu'il y a de bien avec les proverbes, c'est qu'on peut toujours citer celui qui nous arrange. Ainsi, *Plus de profit, moins d'honneur* invite au contraire à jouir sans scrupules des avantages qui se présentent. Mais la sagesse se trouve peut-être dans la mesure : *Quand on n'a pas ce qu'on aime, il faut aimer ce qu'on a…* Apprenons à profiter de ce que l'on possède.

Il est rond comme une queue de pelle

« Il est complètement soûl. »

On peut aussi *être rond comme une barrique*, *une bille* ou *un boulon*, mais avouez que c'est beaucoup moins amusant ! Au XVIIe siècle, *être rond* s'employait seul pour signifier « être rassasié », comme si l'estomac était rempli au point qu'il change de forme ! Puis on a joué la surenchère en comparant ce simple *rond* à des objets sphériques – *une balle*, *une pomme*, *une soucoupe*, *un œuf*, etc. – alors que le sens évoluait légèrement : il ne s'agissait plus d'un excès de nourriture, mais d'alcool…

Y a pas de quoi faire une culotte à un gendarme

« Il n'y a qu'un petit bout de ciel bleu. »

Au début de la Première Guerre mondiale, les soldats revêtirent de nouveaux uniformes, moins visibles que les précédents. L'habit bleu et rouge, qui se devait d'être repérable jusque-là, était devenu un handicap avec les progrès techniques : la poudre, notamment, ne produisait plus de fumée épaisse tandis que les tirs portaient plus loin. Il fallait donc passer inaperçu et l'habit devint bleu horizon, c'est-à-dire bleu clair. En 1917, l'uniforme bleu ciel des poilus fut attribué à l'ensemble de la gendarmerie. Il fallut attendre 1922 pour que les gendarmes retrouvent le ton foncé de leurs habits d'avant-guerre : pantalon, culotte et képi bleu gendarme nouveau et les autres éléments de la tenue, bleu foncé. Régulièrement, toutefois, leur tenue évolue et les couleurs changent. De nos jours, ils portent un pantalon bleu foncé et un polo bleu ciel… Alors, y a-t-il un morceau de ciel bleu suffisamment grand pour faire un polo à un gendarme aujourd'hui ?

Une mère n'y trouverait pas ses petits

« Quel désordre ! »

Ici, le chambardement qu'on évoque peut être de deux sortes. Au sens propre, c'est un lieu proche du capharnaüm ; au figuré, un embrouillamini ou une situation confuse. Il existe des variantes, dans lesquelles la *chienne* et la *chatte* viennent remplacer la *mère*. Au XIXe siècle, on a même invoqué le *cochon* ! On peut supposer que l'instinct maternel ou le flair très développé de la femelle lui feraient immédiatement retrouver sa portée où qu'elle se trouve. Si la mère n'en est plus capable, la situation est désespérée !

J'ai mangé à m'en faire péter la sous-ventrière

« J'ai beaucoup trop mangé, je n'en peux plus. »

La *sous-ventrière* était une courroie qui, passée sous le ventre du cheval, reliait les deux bras d'une charrette. Elle permettait d'atteler la voiture en la stabilisant pour qu'elle ne bascule pas. Dans le langage populaire, elle a ensuite désigné la ceinture. La ceinture qui *pète* parce qu'on a trop mangé, c'est un peu comme le bouton du pantalon qui saute sous la pression du ventre plein. De nos jours, on dira plutôt *Je vais exploser*, avec la même idée de violence.

Il a embrassé Fanny

« Il a perdu sans marquer aucun point. » (à la pétanque)

Déjà, au XVIIIe siècle, on *baisait le cul de la vieille* quand on perdait aux cartes sans gagner un coup... Une expression obscure que le *Dictionnaire des expressions et locutions* rapproche de la formule *baiser le cul*, liée à l'échec, et de certains emplois dialectaux, comme *avoir une vieille*, « perdre ». Puis, au début du XXe siècle, sur les routes de France furent plantés des panneaux de bois qui représentaient une femme montrant... ses fesses ! Lorsqu'ils perdaient la partie, les joueurs de pétanque prirent l'habitude d'aller réellement *embrasser Fanny* (ou *baiser la Fanny*), c'est-à-dire de poser un baiser sur le postérieur de cette jeune femme qu'ils avaient surnommée Fanny. L'expression est restée bien après la disparition de ces fameux panneaux.

C'est une tête de pioche

« Il est entêté, obstiné. »

Il est marteau, *Ça me scie*, *Ça ne vaut pas un clou*, *Je lui ai serré la vis*, *Il a fallu resserrer les boulons*... En français, on aime bien les analogies avec les outils. Il faut dire que les images sont parlantes ! On traite une personne bornée de *tête de pioche*, ou on affirme qu'elle *a la tête dure*. Et pour se rappeler un mot qui nous échappe, on *se creuse* tout simplement *la tête*.

Il a les yeux en boules de loto

« Il a les yeux ronds, globuleux. »

Loto vient de l'italien *lotto*, « lot, sort ». L'ancêtre du jeu créé par la Loterie nationale en 1976 était un jeu de société auquel on joue encore aujourd'hui. Il consiste à tirer des boules ou des jetons numérotés contenus dans un petit sac. On gagne quand les numéros qui ont été piochés correspondent tous à ceux qui sont inscrits sur sa grille personnelle. Quelqu'un, étonné, fera *des yeux en boules de loto*. À moins qu'il n'ait *des yeux en boules de loto* depuis sa naissance, aussi ronds que lorsqu'ils sont *en boutons de bottine*. D'autre part, si une personne peut s'avérer *bête comme un bouton de bottine*, « complètement crétine », nul n'a jamais été traité de boule de loto.

J'ai eu ça pour un plat de lentilles

« Je l'ai eu pour pas cher, pour rien. »

Dans l'Ancien Testament, Ésaü cède son droit d'aînesse à Jacob contre un plat de lentilles. *Donner* ou *vendre* quelque chose *pour un plat de lentilles*, c'est, à l'image d'Ésaü, troquer une chose que l'on sait de grande valeur pour une autre qui n'en a pas.

Il fait le zouave

« Il fait le malin ; il fait le pitre ; il crâne. »

Le terme vient de l'arabe *zoave*, du nom d'une tribu kabyle où furent recrutés les premiers soldats d'un corps d'infanterie de l'armée française formé en 1830 en Algérie. D'abord composé de Français et d'Algériens, il fut ensuite exclusivement constitué de Français qui gardèrent la tenue d'origine : le pantalon bouffant et la chéchia. Mais qu'avaient-ils de drôle, ces soldats ? Trois hypothèses : leurs vêtements inhabituels pouvaient amuser la population, on se moquait d'eux parce qu'ils fanfaronnaient un peu trop ou ils s'étaient réellement distingués par leurs faits d'armes si bien qu'ils avaient de quoi faire les malins…

J'en passe et des meilleures

« Et cætera. »

Tout droit sortie d'*Hernani*, de Victor Hugo, *J'en passe et des meilleures* est une bonne façon d'abréger une histoire sans s'attarder sur des digressions qui n'en finiraient plus ! On peut aussi dire *et patati et patata* ou *patin couffin*, deux expressions construites à partir de l'onomatopée patt-, qui évoque le bruit de coup, de galopade (au XIXe siècle, *patatin patata* imitait le bruit d'un cheval au galop) et de bavardage. Enfin, pour clore une énumération de personnes, rien de tel que *tutti quanti*, emprunté à l'italien, qui signifie « tous autant qu'ils sont ».

Je te demande pas si ta grand-mère fait du vélo

« Je ne te demande pas ton avis. »

C'est du mot *vélocipède* qu'est venu le terme *vélo*, d'abord abrégé en *véloce*. À la fin du XIXe siècle, la bicyclette a concouru à l'émancipation des femmes : elles se sont déplacées plus librement et, pour monter sur leur vélo, se sont débarrassées de leur corset et de leurs vêtements malcommodes, privilégiant, par exemple, l'apparition des jupes-culottes. Une révolution pour certaines, un scandale pour d'autres : leur tenue ne laissait personne indifférent... Toujours est-il que, dans les années 1920, une grand-mère sur un vélo, ça restait rare et rigolo. La preuve, dans *Trois jeunes filles nues*, une célèbre opérette française créée en 1925, le refrain de la chanson *Est-ce que je te demande* débutait ainsi :

> « Est-ce que je te demande
> Si ta grand-mère fait du vélo
> Si ta p'tite sœur est grande
> Si ton p'tit frère a un stylo
> Si ta cousine Fernande
> Pour coudre des anneaux aux rideaux
> Bien qu'on le lui défende
> Prend les aiguilles du phono ? »

Il a le petit doigt sur la couture du pantalon

« Il a une attitude un peu figée, marquant le respect. »

Le petit doigt sur la couture du pantalon fait référence à la position du garde-à-vous, les bras serrés contre le corps si bien que les mains touchent la couture extérieure du pantalon. L'expression caractérise autant l'attitude physique de quelqu'un d'un peu raide que son état d'esprit – prêt à obéir sans tergiverser.

Il pleure comme une madeleine

« Il pleure toutes les larmes de son corps. »

Ici, point question de biscuit, mais d'une sainte : sainte Marie-Madeleine ! Le Christ dit d'elle : « Si je [...] déclare que ses péchés si nombreux ont été pardonnés, c'est parce qu'elle a montré beaucoup d'amour.* » Vivant dans la luxure et les plaisirs, Marie-Madeleine est, avant sa conversion, une pécheresse possédée par les démons. Lorsqu'elle fait pénitence, elle arrose de ses larmes les pieds de Jésus. Puis c'est en pénitente éplorée qu'on la retrouve devant son tombeau, avant qu'elle ne soit témoin de sa résurrection.

J'en mangerais sur la tête d'un teigneux

« Je raffole de ce plat. »

La teigne est une affection du cuir chevelu qui entraîne la chute de plaques de cheveux et qui peut être accompagnée de desquamation, croûtes ou plaies purulentes... La seule description a de quoi couper l'appétit ! Pourtant, rien n'arrête le gourmand, qui peut aussi prétendre qu'il en mangerait *sur la tête d'un galeux* ou d'un *pouilleux*. En revanche, lorsqu'on décrète pouvoir *manger la soupe sur la tête de quelqu'un* de sa connaissance, on se compare tout bonnement à l'autre : c'est moi le grand et c'est lui le petit.

* Toutes les citations de la Bible sont tirées de sa traduction œcuménique, Le Livre de poche, coll. « La Pochothèque », 1996.

Quand on n'a pas de tête, il faut avoir des jambes

« Si on est étourdi, il faut être prêt à aller rechercher ce qu'on a oublié. »

Difficile d'être à la fois au top physiquement et mentalement… Pierre Bellemare l'avait bien compris quand il présentait *La Tête et les Jambes*, un jeu télévisé diffusé sur la RTF dès 1960. Dans cette émission, deux candidats s'unissaient pour décrocher un pactole de 100 000 francs. Le premier, « la tête », devait répondre à toutes sortes de questions pointues, tandis que le second, « les jambes », rattrapait ses échecs par des performances sportives.

J'ai l'os du foie qui me fait mal

« Je suis patraque. »

Pour décrire son état le lendemain d'une fête bien arrosée ou pour évoquer un malaise totalement fictif, on invente une maladie imaginaire proche de la crise de foie… De toute façon, mieux vaut simuler que d'être un vrai hypocondriaque, comme Gaston Ouvrard, dans sa chanson *Je ne suis pas bien portant* (1932), reprise par Bourvil :

> « J'ai la rate
> Qui s'dilate
> J'ai le foie
> Qu'est pas droit
> J'ai le ventre

Qui se rentre
J'ai l'pylore
Qui s'colore
J'ai l'gosier anémié
L'estomac
Bien trop bas
Et les côtes
Bien trop hautes [...]
Ah ! Bon Dieu ! Qu'c'est embêtant
D'être toujours patraque,
Ah ! Bon Dieu ! Qu'c'est embêtant
Je ne suis pas bien portant. * »

Y a pas qu'un âne qui s'appelle Martin

« Plusieurs personnes ont le même prénom. »

On trouve aussi : *Il y a plus d'un âne à la foire qui s'appelle Martin*. Cette boutade est une façon de plaisanter sur un prénom répandu. De nos jours, dans nos villes et nos campagnes, il n'est toutefois plus beaucoup question d'âne, et on appelle ses enfants autrement. En 1900, les prénoms les plus donnés étaient Jean, Louis et Pierre pour les garçons ; Marie, Jeanne et Marguerite pour les filles. Cent ans après, en 2000, il s'agissait de Thomas, Lucas et Théo et de Léa, Manon et Camille.

* Voir aussi l'expression *Il s'est mis la rate au court-bouillon*, p. 46.

Il a usé sa layette

« Il est bien vieux. »

La *layette* était d'abord un tiroir ou un petit coffre dans lequel on rangeait sa correspondance ou ses effets personnels. Elle a ensuite désigné le linge que l'on rangeait dedans : les vêtements du nouveau-né. Cette expression est un bel exemple d'euphémisme, une figure de style qui consiste à atténuer la réalité en employant des mots moins choquants. Ce grand écart entre l'enfance et la vieillesse, on le trouve déjà formulé au XVIIe siècle avec *Bonjour, lunettes ; adieu, fillettes*…

Il n'est pas gras à lécher les murs

« Il mange suffisamment ; il est bien nourri. »

Une personne qui a faim serait prête à tout pour un peu de nourriture, même à *lécher les murs* ! Au XIXe siècle, on *bouffait des briques* quand on n'avait rien à manger… Le mot *brique* a une drôle d'histoire : tiré du néerlandais *bricke*, « brique », il a d'abord pris le sens en français de « morceau » puis de « miettes » (d'où notre *bouffer des briques*), et enfin de « carreau d'argile »… soit la signification du mot *bricke* des Pays-Bas. D'ailleurs, pour la blague, est apparue la variante *bouffer des briques sauce caillou*, qui jouait sur ces deux acceptions… Dans un autre registre, on disait aussi de quelqu'un qui avait mal dîné *Il ne va pas chier de grosses crottes*. Cette formule a donné plus tard dans la bouche de nos grands-mères, inquiètes : *Avec ça, tu vas faire des petites crottes*, « tu ne manges vraiment pas beaucoup ». En revanche, si on leur disait *J'ai faim*, elles retrouvaient le sourire pour s'exclamer, ravies : *C'est une bonne maladie !*

C'est un zozo

« Il est niais ; c'est un bouffon. »

Pourquoi qualifie-t-on le faible d'esprit de *zozo* ? Deux hypothèses existent, reposant toutes deux sur le zézaiement enfantin. D'une part, il viendrait de la déformation de *Jojo*, le diminutif de Joseph n'étant alors pas bien prononcé : au XIXe siècle, on employait déjà ce prénom pour désigner un homme particulièrement naïf. D'autre part, il pourrait tirer son origine du mot *oiseau*, souvent prononcé *zozieau* par les enfants, puis, par une nouvelle déformation, *zozo*…

Il n'a pas inventé le fil à couper le beurre

« Il ne brille pas par son intelligence, il n'est pas malin. »

Si vous voulez apercevoir un *fil à couper le beurre*, rendez-vous chez votre fromager : il tranche mottes de beurre et fromages mous avec cet ustensile composé d'un fil et de deux poignées. Une invention certes utile, mais en rien révolutionnaire… De même, si vous mélangez eau chaude et eau froide, vous obtiendrez un mélange tiède : celui qui *n'a pas inventé l'eau tiède*, c'est-à-dire qui est incapable d'en avoir eu l'idée, est un bêta ! Enfin, *Il n'a pas inventé la poudre* ou *la roue* font allusion à des inventions tellement anciennes qu'elles nous paraissent très simples…

Le monde est petit

« Comme c'est drôle de se rencontrer là. »

L'expression date du début du XXe siècle. Elle marque l'étonnement d'une rencontre impromptue dans un endroit inattendu. Dans *Les Enfants du paradis*, la célèbre réplique d'Arletty à Pierre Brasseur s'en inspire : « Paris est tout petit pour des gens qui s'aiment comme nous d'un aussi grand amour. » Une formule charmante qui n'en reste pas moins ironique : Garance, son personnage, se débarrasse ainsi du joli cœur.

Il fait un froid de canard

« Il fait un froid très vif. »

Les chasseurs vous le diront : le grand froid est propice à la chasse au canard. Et comme la législation française fait bien les choses, la chasse n'est autorisée qu'en automne et en hiver. Dès qu'il fait *un froid de canard*, les chasseurs peuvent donc se précipiter dehors pour aller tirer sur une partie de cette expression… N'allez pas non plus chercher plus loin l'origine de *se faire canarder*.

Ça vaut mieux que d'attraper la scarlatine

« Ce n'est pas grave ; pas la peine d'en faire une maladie. »

Lorsque Ray Ventura chante en 1936 *Ça vaut mieux que d'attraper la scarlatine*, la France reprend son refrain :

> « Ça vaut mieux que d'attraper la scarlatine
> Ça vaut mieux que d'avaler d'la mort aux rats
> Ça vaut mieux que de sucer d'la naphtaline
> Ça vaut mieux que d'faire le zouave au pont d'l'Alma. »

Dans le premier couplet, il précise :

> « Quelle que soit notre malchance
> Dites-vous que ce n'est rien. »

Avec ses épidémies virulentes et mortelles, la scarlatine est en effet particulièrement redoutée jusqu'au début du XXe siècle. Puis deux découvertes changent la donne. D'une part, la mise en évidence de son origine bactérienne en 1924 ; d'autre part, l'apparition du traitement des maladies infectieuses par l'administration de pénicilline, aux propriétés antibiotiques, à partir des années 1940. L'amélioration des conditions d'hygiène y est aussi pour quelque chose… Résultat ? De nos jours, la maladie, devenue rare, est considérée comme bénigne.

Ça se trouve pas sous le sabot d'un cheval

« C'est rare ; c'est difficile à obtenir. »

À l'origine, on disait : *Ça ne se trouve pas sous le pas d'un cheval*, c'est-à-dire après son passage, sur ses traces. Or, a priori, on ne trouve qu'une chose ordinaire et sans valeur après le passage d'un équidé : son crottin ! Eugène Sue l'écrivait justement dans *Les Mystères de Paris* (1843) : « Quarante mille francs, ça ne se trouve pas sous le pas d'un cheval, comme on dit… »

Tu veux ma photo ?

« Arrête de me dévisager. »

Voilà une réplique bien agressive pour se débarrasser d'un importun qu'on tutoie d'emblée alors qu'il ne nous a même pas adressé la parole ! L'expression est née au XXe siècle, en plein essor de la photographie. Le portrait photographique, en vogue dès le milieu du XIXe siècle, était jusqu'alors réservé aux professionnels. Mais la commercialisation de petits appareils tels que les Leica permit à chacun de prendre ses propres photos en petit format dès le milieu des années 1920. C'est aussi à cette époque qu'apparurent les premières cabines de Photomaton dans les lieux publics new-yorkais – il faudra attendre les années 1950 pour qu'elles soient implantées en France.

Il a un cœur d'amadou

« Son cœur s'enflamme en un rien de temps ; il tombe rapidement amoureux. »

Souvenez-vous de la chanson de Georges Brassens, *J'ai rendez-vous avec vous*. Elle se conclut par ces vers :

> « La fortune que je préfère
> C'est votre cœur d'amadou
> Tout le restant m'indiffère
> J'ai rendez-vous avec vous ! »

Le verbe provençal *amador* aurait donné naissance au mot *amadou* : un *cœur d'amadou*, c'est un cœur amoureux, embrasé. Mais il n'est pas exclu qu'un *cœur d'amadou* puisse avoir les penchants d'un *cœur d'artichaut*. Autrement dit, de quelqu'un qui a autant d'amourettes qu'un artichaut a de feuilles, que l'on détache une à une de son cœur tendre quand on le consomme.

Je vais faire pleurer le gosse

« Je vais pisser. »

Attention, réservé aux hommes ! On disait aussi *faire pleurer son aveugle*. L'idée est la même : le sexe d'un homme doit être guidé pour bien viser, comme un enfant et un aveugle doivent être accompagnés pour s'y retrouver… La gent masculine pouvait sinon *prendre* ou *se payer une ardoise* : si l'expression est incompréhensible pour les femmes, elle ne l'est pas pour les hommes qui se souviennent des anciens urinoirs publics… En ce temps-là, ils étaient pourvus d'une plaque d'ardoise sur laquelle coulait l'eau.

C'est la soupe à la grimace

« Il y a une mauvaise ambiance ; l'accueil est glacial. »

Toujours employée aujourd'hui, l'expression signifie désormais « être mal reçu par une personne peu sympathique, ayant un air rébarbatif ». Mais, auparavant, un mari avait droit à *la soupe à la grimace* quand sa femme, mécontente, affichait un air renfrogné pendant tout le dîner… Pour enfoncer le clou, elle pouvait aussi lui tourner le dos dans le lit durant la nuit. Dans ce cas-là, l'époux *dormait à l'auberge du cul tourné*.

Ils sont allés aux fraises

« Ils sont allés trouver un endroit pour leurs ébats amoureux. »

Il y a *aller aux fraises*, *aller aux fraises* et *aller aux fraises*… Ou on va vraiment à la cueillette ; ou, à la manière de celui qui cherche ces fruits dans la nature, on lambine tellement qu'on se voit interpeller *Alors, tu vas aux fraises ?* ; ou, enfin, on part en amoureux trouver un coin tranquille pour fricoter, la *fraise* cachée dans les sous-bois rappelant, par exemple, le bout des seins, un objet de convoitise le plus souvent dissimulé sous les vêtements. D'autre part, quand on *ramène sa fraise*, on ne rapporte pas ce qu'on est allé cueillir mais on en fait trop, on parle de façon inappropriée… Dans ce cas-là, le mot, comme bien d'autres*, a d'abord été synonyme de « tête » avant de désigner la personne tout entière.

C'est le bouquet !

« Il ne manquait plus que ça ! C'est le comble ! »

Au milieu du XIXe siècle, c'était l'apothéose, la conclusion d'un événement réjouissant, le *bouquet* évoquant la gerbe finale des feux d'artifice. Puis, par un renversement de sens inattendu, l'expression a pris une tournure négative : une catastrophe ou une mauvaise nouvelle viennent parachever une série d'événements tous plus calamiteux les uns que les autres.

Chaque pot a son couvercle

« Il existe pour chacun une âme sœur. »

Déjà, au XVIIe siècle, existait l'expression *Il n'est pas si méchant pot qui ne trouve son couvercle*. Elle signifiait que l'on pouvait trouver un mari même à une jeune femme laide… Charmant ! Mais l'idée de complémentarité est bien plus ancienne : on la trouve notamment dans le discours d'Aristophane, du *Banquet*, de Platon. À l'origine, les êtres humains, qui étaient ronds, étaient

* Voir l'expression *C'est pour sa pomme*, p. 130.

constitués de quatre bras, de quatre jambes et de deux visages. Puis Zeus les sépara… Depuis ce jour, chaque moitié cherche son autre moitié et leur amour naît de ce désir de ne faire qu'un. Avec *Chaque pot a son couvercle*, l'image, plus prosaïque, reste la même : comme deux éléments d'un même ustensile s'emboîtant parfaitement, les personnes qui sont complémentaires trouvent l'amour.

Il pleut comme vache qui pisse

« Il pleut beaucoup. »

Les habitants des campagnes et les citadins qui ont osé s'aventurer hors de la ville le savent : quand une vache urine, elle ne passe pas inaperçue… L'expression a pu être influencée par *Il pleure comme une vache*, « il pleure énormément ». Elle a, par ailleurs, donné naissance à une variante amusante qui joue sur un registre plus soutenu : *Il pleut comme ruminant qui s'oublie*. La grenouille est toutefois l'animal le plus emblématique de l'averse, comme dans la comptine pour enfants : *Il pleut, il mouille, c'est la fête à la grenouille*.

Il est beurré comme un Petit-Lu

« Il est complètement soûl. »

Enfant, on a tous mangé des Petit-Lu en les entamant par leurs quatre coins. La biscuiterie Lefèvre-Utile, dont les initiales donnèrent la marque LU, est devenue célèbre grâce à son « véritable petit-beurre ». Louis Lefèvre-Utile, son inventeur, disait de lui :

> « Ce n'est pas le biscuit d'origine britannique, sec comme une Anglaise en route pour l'Exposition, fade comme un navet bouilli dont raffolent nos voisins d'outre-Manche, insipide comme un jour de brouillard sur la Tamise, c'est un biscuit vraiment français, vraiment breton, avec une pointe de sucre, un nuage de lait, un doigt de ce beurre succulent qui a valu à nos départements armoricains une renommée universelle.* »

Toute une histoire, dans laquelle le beurre a son importance ! Comprenant très vite l'intérêt de la réclame, Louis Lefèvre-Utile s'en servit pour vanter les qualités de ses biscuits. Au début du XXe siècle, Sarah Bernhardt elle-même prêta son image à la marque en signant : « Je ne trouve rien de meilleur qu'un Petit-Lu ; oh si ! deux Petit-Lu. » Devenu extrêmement populaire, le biscuit *beurré* n'était pas loin d'être *bourré*, la ressemblance des deux mots provoquant le glissement de sens. La publicité fit le reste. Et voilà comment un homme complètement ivre devint *beurré comme un Petit-Lu* !

Il a la rame

« Il est paresseux ; il est exténué. »

En argot, *avoir la rame* comme *être un ramier*, c'est-à-dire un « fainéant », viennent du verbe *ramer*,

* *L'Art du biscuit*, Patrick Lefèvre-Utile, Hazan, 1995.

probablement par allusion à la fatigue provoquée par cette activité physique. De nos jours, le mot *ramier* n'est plus usité. En revanche, on trouve toujours *Il n'en fout pas une rame* quand quelqu'un ne fait rien, et *être à la rame*, « être dans une situation pénible ».

On ne va pas donner de la confiture aux cochons

« On ne va pas donner cela à quelqu'un qui ne saura l'apprécier à sa juste valeur. »

Auparavant, on parlait plutôt de *donner des perles aux cochons*. Il s'agit d'une référence à la Bible, plus précisément à l'Évangile selon Matthieu :

> « Ne donnez pas aux chiens ce qui est sacré, ne jetez pas vos perles aux porcs, de peur qu'ils ne les piétinent et que, se retournant, ils ne vous déchirent. »

Ignorants, les profanes qui rejettent la religion ont un comportement proche de celui de l'animal incapable de discernement, traînant dans la boue ce qui a de la valeur. *On ne va pas donner de la confiture aux cochons* est du même acabit : il est inutile de partager ce qui nous est précieux avec des rustres.

Tu vas te faire appeler Arthur

« Tu vas te faire réprimander. »

Les prénoms changent, les modes passent. Au début du siècle, on s'en prenait à Arthur. Dans les années 1970, on préférait *Tu vas te faire appeler Jules*. Dans le registre de l'admonestation, on trouve aussi *se faire remonter les bretelles* ou *se faire tirer les oreilles*, deux expressions qui ont en commun l'image de la secousse physique…

C'est dans les vieux pots qu'on fait les meilleures soupes

« Les personnes âgées sont les plus avisées, les plus expérimentées. »

… Et c'est près des fourneaux qu'on trouve bien des expressions : *Chanter comme une casserole*, *Être soupe au lait*, *C'est pas de la tarte*, *Retomber comme un soufflé*, etc. Mais ce n'est pas parce qu'on fait les meilleures soupes dans les vieux pots que l'expérience est le domaine réservé des cuisinières : *C'est en forgeant qu'on devient forgeron*, *On n'apprend pas à un vieux singe à faire des grimaces*, *Ne pas être tombé de la dernière pluie*… L'écrivain Amadou Hampâté Bâ avait lui aussi une jolie formule : « En Afrique, un vieillard qui meurt, c'est une bibliothèque qui brûle. » Une personne âgée peut également lancer à plus jeune qu'elle *Ça te passera avant que ça me reprenne*, créée à partir de *Ça te passera*, qui signifie « ça ne durera pas ». Elle pointe alors un défaut ou une attitude supposés disparaître avec le temps.

Caltez, volailles !

« Disparaissez hors de ma vue ! »

Le verbe *calter* signifie en argot « partir rapidement, s'enfuir ». L'injonction est sans appel : ceux à qui l'on s'adresse ne méritent pas plus de ménagements que les poules que l'on fait déguerpir.

C'est grand comme un mouchoir de poche

« C'est tout petit, minuscule. »

Avant, on distinguait le mouchoir de poche du mouchoir de col. Le mouchoir de col était plus grand : pas très éloigné du foulard, on le mettait autour du cou. Le mouchoir de poche, dont l'usage est progressivement entré dans les mœurs, était un objet réservé à la haute société : tout comme les gants ou l'ombrelle, le bout de tissu faisait partie de la panoplie vestimentaire de rigueur, et servait aussi à se moucher. Lorsque leur nez coulait, les bourgeois du XVIe siècle se servaient, eux, de la manche de leur vêtement et les gens du peuple, de leurs doigts... Des habitudes qui ont mis du temps à disparaître. Le mouchoir de poche a connu des formes diverses – ronde, carrée, rectangle, etc. – jusqu'au XIXe siècle où il s'est standardisé. De nos jours, on parlera plus facilement de Kleenex, ces mouchoirs en cellulose apparus dans les années 1920.

Il a essuyé ses lunettes avec de la peau de saucisson

« Ses lunettes sont particulièrement sales. »

Pas besoin de rappeler qu'on n'a jamais vu de saucisson dans les vitrines des opticiens ni en tête de gondole des rayons entretien ménager des supermarchés ! Cette charcuterie particulièrement grasse paraît en effet peu adaptée au nettoyage de lunettes. Et pourtant, il faut croire que l'image inspire : on peut aussi *avoir des lunettes en peau de saucisson*. Dans ce cas-là, il s'agit d'un trouble physique : la vue se brouille sous l'effet de l'alcool…

Il est dans sa chemise

« Ne cherche pas à savoir où il se trouve. »

Où est-il ? *Dans sa chemise !* Voilà une réponse ironique bien expéditive pour rabrouer son interlocuteur ! Et, de la même manière qu'on la revêt chaque jour, on peut *changer d'avis comme de chemise*, « avoir constamment de nouvelles opinions ». *Être comme cul et chemise*, « très liés », joue, quant à elle, sur une réalité indéniable : quand on rentre sa chemise dans son pantalon, le tissu est en contact avec les fesses… Enfin, dans l'expression *Je m'en moque comme de ma première chemise*, le mot a un sens plus général : il fait référence au premier vêtement que l'on a porté enfant et dont on n'a que faire.

Numérote tes abattis

« Sois sur tes gardes. »

En argot, les *abattis* désignent les bras et les jambes d'une personne, par comparaison aux abats d'une volaille : tête, cou, ailerons, pattes, foie et gésier. Avant une bagarre, on prévient son adversaire : compte bien tous tes membres, tu n'es pas sûr de les retrouver intacts ou à la même place !

Il a payé en monnaie de singe

« Il a fait de fausses promesses pour toute récompense ; il a débité un beau discours au lieu de payer. »

Aujourd'hui, quand quelqu'un *paie en monnaie de singe*, il le fait toujours au figuré. Mais ce n'était pas le cas au XIIIe siècle, sous saint Louis. À cette époque, Étienne Boileau, le prévôt des marchands de Paris, établit *Le Livre des métiers*, le premier grand recueil où était consigné le règlement des métiers parisiens. Il y dispensait les montreurs de singe qui passaient sur le Petit-Pont de payer l'octroi, cette taxe pour franchir les portes des villes. En contrepartie, ceux-ci devaient distraire les gardes du péage en faisant exécuter quelques tours par leurs animaux. Une vraie *monnaie de singe*... Pour passer ce pont, les jongleurs devaient quant à eux s'acquitter d'un couplet de chanson, mais cela n'a donné naissance à aucune expression.

Il est resté en carafe

« On l'a oublié ; il est resté en plan. »

À l'origine, seuls le comédien et l'orateur *restaient en carafe* quand ils ne trouvaient plus leurs mots : ils se tenaient la bouche grande ouverte devant leur public sans qu'il en sorte un son… En argot, la *carafe* désignait en effet la bouche et plus précisément le gosier, par analogie avec la forme de ce récipient, le goulot faisant penser à la gorge. Désormais, comme l'acteur, nous pouvons tous un jour *rester en carafe*, car l'expression qui signifiait « être à court de mots » a pris le sens plus général d'« être à court de ressources » : nous restons tout bonnement en plan.

Il m'a raconté des salades

« Il m'a dit n'importe quoi. »

La *salade* désignant une composition d'ingrédients variés, *raconter des salades*, c'est tenir des propos embrouillés, confus, voire mensongers, pour tromper son interlocuteur. On emploie aussi *faire des salades* dans ce sens. Au XVIIIe siècle, on qualifiait même de *troupe de salades* une formation hétéroclite de soldats venus de différents corps ! D'autre part, *vendre sa salade* a d'abord été employé par les acteurs ou les camelots qui essayaient de convaincre leur public… Un peu comme les marchands de fruits et légumes qui, sur les marchés, interpellent les passants d'un « Elle est bonne, ma romaine, elle est bonne ! » pour vendre leur laitue romaine. Cette apostrophe aurait donné naissance à l'expression *bon comme la romaine*, c'est-à-dire « trop bon au point de se faire parfois avoir ».

T'as le bonjour d'Alfred

« Va-t'en. »

Voilà une façon imagée de congédier un importun, de lui signifier qu'il est de trop ! C'est aussi une réplique récurrente de la bande dessinée *Zig et Puce*, d'Alain Saint-Ogan, publiée à partir de 1925 dans *Le Dimanche illustré*, le supplément dominical du journal *Excelsior*. Le pingouin Alfred est le compagnon inséparable des deux amis. Et lorsque Zig et Puce déjouent les pièges d'un de leurs adversaires, Alfred lui lance généralement en guise de conclusion : « T'as le bonjour d'Alfred ! » Très populaire, le pingouin sera l'un des premiers produits dérivés issus de la bande dessinée. Il deviendra même la mascotte de certaines célébrités comme la chanteuse Mistinguett, l'aviateur Charles Lindbergh ou le président de la République Gaston Doumergue. Ultime consécration, il sera statufié : emblème des premiers salons du Festival de la bande dessinée d'Angoulême, Alfred donna son nom aux trophées décernés entre 1974 et 1988.

Il est long comme un jour sans pain

« Il est très grand, très long. »

Imaginez-vous passer toute une journée sans rien manger : vous voyez passer chaque minute, obnubilé par votre estomac et tiraillé par la faim ! Eh bien, auparavant, quand le pain était la base de l'alimentation, on disait *long comme un jour sans pain* pour évoquer un moment qui paraissait interminable. Et comme l'adjectif *long* s'emploie autant pour définir une durée qu'une dimension, nos grands-mères ont pris l'habitude d'employer cette expression pour décrire une personne ou une chose incroyablement grandes.

C'est pas le frère à dégueulasse

« C'est délicieux. »

Ah ben ça alors, si *c'est pas le frère à dégueulasse*, c'est que ce doit être le frère à délicieux ! Des mots que sortaient surtout nos grands-pères quand ils venaient de vider un bon verre, tout comme ils s'exclamaient *C'est le petit Jésus qui vous descend en culotte de velours dans l'estomac**. Dans ce cas-là, pas question de *jaja*, de gros rouge ordinaire, mais plutôt d'un excellent vin.

* Voir l'expression *On dirait le bon Dieu qui vous descend en culotte de velours dans l'estomac*, p. 33.

Il sucre les fraises

« Il est atteint de tremblements ; il est gâteux. »

Cette formule drôle et légère cache une réalité bien plus grave… On parle ainsi d'un vieillard qui a des tremblements incontrôlés, semblables à notre mouvement de bras quand on sucre réellement les fraises. Et, s'il se trouve à un stade plus avancé, on sous-entend qu'il est sénile ! Dans une société qui considère que « la vieillesse est un naufrage » (*dixit* le général de Gaulle), certains se verraient bien *secouer le cocotier*, se débarrasser des personnes âgées qui deviennent une charge… Une idée saugrenue apparue au XIXe siècle : on croyait alors que les Polynésiens mettaient la vaillance de leurs anciens à l'épreuve en les faisant grimper à un arbre. Dès qu'ils ne parvenaient plus à s'y accrocher, leur tribu les éliminait ! De nos jours, on *secoue le cocotier* pour faire évoluer les habitudes, de la même façon qu'on *donne un coup de pied dans la fourmilière*.

Et que ça saute !

« Exécution ! Et sans traîner ! »

Au début du XXe siècle, les fantassins effectuaient toutes sortes d'exercices lors de leur entraînement, notamment des séries de sauts. On leur doit probablement cette expression qui, dans le civil, exige l'exécution rapide d'un ordre.

Il est soupe au lait

« Il est susceptible, irascible. »

Prenez trois échalotes, un blanc de poireau, une pomme, 50 grammes de beurre demi-sel, un litre de lait entier, trois poignées d'oseille, trois œufs, du sel, du poivre… et vous pourrez réaliser la recette de la soupe au lait de sa grand-mère Louise qu'a bien voulu délivrer le chef étoilé Alain Passard au magazine *Elle*. Un conseil : avant de commencer, n'oubliez pas que, comme le lait réchauffé seul, cette soupe peut monter très vite et déborder de la casserole si le feu est trop fort. De même, quelqu'un de *soupe au lait* peut sortir subitement de ses gonds, pris d'un accès de colère. Au XIXᵉ siècle, on employait d'ailleurs l'expression *Il monte comme une soupe au lait.*

Il a fait chou blanc

« Il est revenu bredouille. »

À la pétanque, on *embrasse Fanny** ; mais quand on fait une partie de quilles, on *fait chou blanc*, peut-être par déformation de *coup blanc*, « nul ». Quoi qu'il en soit, le joueur n'est pas en veine : il perd sans avoir réussi à faire tomber une seule pièce du jeu. L'expression s'est généralisée : quelqu'un *fait chou blanc* quand la démarche qu'il a entreprise a échoué.

* Voir l'expression *Il a embrassé Fanny*, p. 52.

Crotte de bique à roulettes !

« Zut ! »

Bel exemple de juron à rallonge dans lequel les *roulettes* ne servent qu'à renforcer l'exclamation ! À moins qu'elles ne cherchent à le désamorcer en créant une image absurde et drôle ? Rien à voir, toutefois, avec les *vaches à roulettes*, le surnom donné aux policiers circulant à vélo dans les années 1910. Concrètement, ces agents se déplaçaient effectivement à bicyclette, sur des roulettes... Mais pourquoi les traitait-on de *vaches* ? Au XVIIe siècle, un cheval *ruait en vache* quand il donnait des coups de pied, ce qui s'est traduit au figuré par *donner un coup de pied en vache*, « nuire à quelqu'un en douce », puis par l'abréviation *coup vache*. Et quelqu'un dont il fallait se méfier, en particulier un délateur ou un policier, est devenu une *vache*. Aujourd'hui, le mot désigne toute personne sournoise.

Le bureau des pleurs est fermé

« Arrête de te plaindre. »

Certaines entreprises ont leur bureau des réclamations, qu'on appelle de nos jours « service clients » : ça fait plus chic et c'est moins négatif ! De la même manière, nous avons un *bureau des pleurs*... aux horaires d'ouverture connus de nous seuls. Quand on nous sort cette phrase, c'est qu'on est mal tombé : on est prié de cesser de geindre sur-le-champ.

Entre la poire et le fromage

« À la fin du repas, au moment des confidences. »

Et pourquoi pas plutôt entre le fromage et la poire ? Au Moyen Âge, les fruits n'étaient pas servis en dessert comme aujourd'hui. En début de repas, on mangeait même les cerises, les prunes, les pêches, les figues ou le melon. En fin de repas, pommes, poires, coings ou nèfles étaient servis. On leur prêtait des vertus digestives. Pour conclure, venait le fromage : il était censé, lui aussi, faciliter la digestion des précédents aliments. L'expression fait allusion au moment où, repu, on est plus facilement porté sur les confidences. De nos jours, elle a pris le sens moins précis de « entre deux événements ».

Chacun sa chacune

« Chaque garçon va avec une fille. »

L'expression serait née dans les campagnes, lors des fêtes de village : *chacun* trouvant *sa chacune* pour aller danser. Pour le bon mot, Pierre Dac formulait une comparaison surprenante : « En intimité maritime, le lagon est à la lagune ce que chacun est à sa chacune. »

Je t'emmerde à pied, à cheval et en voiture

« De toute façon, je t'emmerde. »

« Ici, on loge à pied et à cheval », pouvait-on lire il y a longtemps sur les enseignes des auberges qui bordaient les routes. Elles signalaient ainsi qu'elles pouvaient accueillir autant les voyageurs que leurs montures, et même les voitures à chevaux. Détournée, cette formule est restée dans le langage courant : on peut faire quelque chose *à pied, à cheval et en voiture*, c'est-à-dire « de toutes les façons possibles », mais, le plus souvent, on *emmerde quelqu'un à pied, à cheval et en voiture*. En 1947, Bourvil chantait À *pied, à cheval, en voiture*, où il utilisait l'expression au sens propre comme au figuré :

> « [...] De tous les moyens de transport,
> L'avion fait sans doute le plus sport,
> Mais, malgré mon petit air bravache,
> Je préfère le plancher des vaches.
> Ça fait bien sûr moins *gentleman*,
> Moins *up-to-date*, moins *businessman* [...]
> Et si quelqu'un vient me suggérer
> Une autre façon de voyager
> Je lui dis : "Ne vous donnez pas la peine,
> Venez avec moi je vous emmène,
> À pied, à cheval, à cheval et en voiture" [...]
> Et je dis zut à ceux qui, ma foi,
> Ne pensent pas comme moi et je les envoie
> À pied, à cheval, à cheval et en voiture
> Cette phrase plutôt commune
> Convient pourtant bien
> À ma brune [...] »

On a dîné à la fortune du pot

« On a dîné de peu de chose, de façon improvisée. »

Dîner à la fortune du pot, c'est s'en remettre au hasard (la fortune) pour manger sans façon ce qu'il y a dans la marmite (le pot). Peu importe ce qu'elle contient, l'essentiel est de partager un repas. On dit aussi *dîner à la bonne franquette*, « de manière simple, sans cérémonie ». D'origine normanno-picarde, la locution adverbiale *à la franquette* vient de *franc* et avait le sens de « franchement, sincèrement » avant de prendre celui de « simplement ».

C'est un tour de cochon

« C'est un mauvais tour. »

Pauvre animal, à qui l'on attribue les pires défauts ! Une personne qui fait un *tour de cochon* est malfaisante. Quand on *mange* ou qu'on *écrit comme un cochon*, c'est toujours « salement ». Avoir un *caractère de cochon*, pas mieux... Et que dit-on quand il ne fait pas beau ? Qu'il fait un *temps de cochon* ! Bien sûr, on peut tout de même *être copains comme cochons* ou donner du *mon cochon* à ses camarades, mais il faut bien reconnaître que la plupart du temps la comparaison n'est pas flatteuse. Par conséquent, si vous faites la cour à quelqu'un, ne lui parlez pas de ses *yeux de cochon* (« petits dans un visage replet »), mais plutôt de ses jolis *yeux de biche*.

Dès potron-minet

« Dès le lever du jour. »

On a souvent bien du mal à se lever *dès potron-minet*, contrairement au chat, qui a la réputation d'être matinal... Littéralement, en effet, cette expression a le sens de « dès que le chat montre son derrière », *potron* venant du bas latin *posterio*, « cul », et *minet* désignant l'animal. Une habitude qu'il partage visiblement avec l'écureuil, puisque l'on dit aussi *dès potron-jacquet*, « dès que l'écureuil montre ses fesses ». De nos jours encore, si vous vous baladez en Normandie et que vous tendez l'oreille, vous entendrez peut-être un vieil homme dire qu'il a vu un *jacquet* traverser son jardin.

Avec des « si », on mettrait Paris en bouteille

« En construisant son discours sur des hypothèses, même les choses impossibles deviennent réalisables. »

C'est bien beau de rêver, mais on court à la déception : nos belles paroles n'ont pas de prise sur la réalité ! Citons deux détournements de ce proverbe. D'abord, dans la bande dessinée *Le Tour de Gaule d'Astérix*, de Goscinny et Uderzo, qui met en scène les aventures d'Astérix et Obélix : « Avec des "si", on mettrait Lutèce en amphore. » Ensuite, la rappeuse Diam's, qui a chanté en duo avec Antilop SA *Avec des « si », on mettrait Paris en bouteille* : « Avec des "si", moi je mettrais Demis Roussos en *bootleg*. » Il fallait oser.

Il est au régime jockey

« Il ne mange pas assez. »

Créé en 1930, le PMU a permis aux joueurs de parier hors des hippodromes. C'est dans ces années-là que l'expression est devenue populaire... Le jockey est un sportif de haut niveau soumis à des exigences de poids et de taille. Par exemple, s'il fait 1,55 mètre, il doit peser obligatoirement entre 46 et 54 kilos pour les courses de plat. Il s'impose donc en permanence un régime alimentaire particulièrement strict. Toutefois, l'expression ne fait pas forcément référence à une diète volontaire ; quelqu'un qui est *au régime jockey* peut aussi le subir, faute de nourriture. Et pour l'anecdote, sachez que, dans les années 1960, quand l'industriel Gervais lança la première marque de fromage blanc en France, il l'appela... Jockey.

Il se fait du mouron

« Il s'inquiète. »

Dans les champs, au bord des chemins ou dans les jardins, on peut trouver du mouron blanc ou mouron des oiseaux, appelé aussi morgeline, qu'on cueille pour nourrir les oiseaux en cage. Par analogie, le *mouron* a vite désigné en argot une touffe de poils, puis les cheveux. *Se faire du mouron* est donc devenu tout naturellement synonyme de *se faire des cheveux*, lui-même une ellipse de *se faire des cheveux blancs*.

Touchez pas au grisbi

« Ne touchez pas à cet argent. »

En 1953, Albert Simonin publiait son roman *Touchez pas au grisbi*, remettant le mot au goût du jour. L'année suivante, Jacques Becker l'adaptait au cinéma en conservant son titre original, avec Jean Gabin, Lino Ventura et Jeanne Moreau dans les rôles principaux. *Flouze*, *pèze*, *fric*, *oseille*, *thune*, *pognon*… Indubitablement, parler d'argent inspire : le mot possède de nombreux synonymes. Le franc n'est pas en reste. À l'époque, pour désigner un million d'anciens francs, on utilisait le mot *brique*, qui évoquait la forme et l'épaisseur d'une liasse de billets de 1 000 francs. Et, plus généralement, on parlait de *balles*. L'effigie frappée sur les pièces de monnaie est sûrement à l'origine de cet emploi car, au milieu du XIXe siècle, *balle* avait le sens argotique de « figure »… D'ailleurs, à cette époque, on pouvait aussi avoir quelques *faces* au fond de la poche. Aujourd'hui, alors que l'unité monétaire est l'euro, c'en est fini des *plaques*, *bâtons* et autres *sacs* et, à notre connaissance, aucun mot d'argot n'est encore venu les remplacer.

C'est pas le mauvais cheval

« C'est un brave type. »

Lorsque l'on compare un homme à un cheval, c'est généralement qu'il est robuste, fiable et vaillant : *Il a une santé de cheval*, *Il travaille comme un cheval*, *Il a mangé du cheval.* À la fin du XVIIe siècle, *C'est un cheval de carrosse* caractérisait un homme grossier, par opposition au cheval de selle, plus noble. À mi-chemin entre ces deux représentations, on dit d'un homme que *ce n'est pas le mauvais cheval* quand sous son apparence bourrue et mal dégrossie se cache quelqu'un qui a bon fond.

Je suis flagada

« Je suis exténué, fatigué. »

En 1917, les aviateurs employaient l'interjection *flagada !* pour ne pas avoir à dire « merde ». Car en argot, le verbe *flaquer*, dont le mot est issu, signifiait « déféquer »... Par la suite, *flagada* est passé dans le langage courant pour exprimer la mollesse et l'épuisement. Dans le même sens, on peut aussi *être flapi*. Le mot viendrait, cette fois, du provençal *flap*, dont le sens est « qui est flétri ». Comme une fleur qui se fane, l'homme exténué croule sous la fatigue. Enfin, *Je suis à ramasser à la petite cuillère* signifiera qu'on est mal en point. On évoque alors son extrême fragilité, comme lorsqu'on affirme de quelqu'un qu'il est *en sucre*, peu résistant physiquement ou moralement.

Il a les pieds nickelés

« Il est paresseux. »

Au début du XXe siècle, *avoir les pieds nickelés* signifiait « ne pas vouloir avancer ou travailler ». Le mot viendrait de *niclé*, « noué » (les pieds noués empêchant de marcher), employé dans les campagnes. Les Parisiens l'auraient déformé en le confondant avec *nickelé*, l'adjectif dérivé de *nickel*, un métal alors à la mode. En 1908, la bande dessinée de Louis Froton *La Bande des Pieds Nickelés* fit son apparition en feuilleton. Elle connut un tel succès que Croquignol, Filochard et Ribouldingue, ses personnages, donnèrent encore un nouveau sens à l'expression. Aujourd'hui, quand on juge certaines personnes peu recommandables ou peu fiables mais au fond sympathiques, on les appelle *des pieds nickelés*.

Il repousse du goulot

« Il a mauvaise haleine. »

En argot, le *goulot* désigne la bouche*. Claude Duneton remarque que la mauvaise haleine n'aurait commencé à incommoder les gens qu'à partir du XIXe siècle... Les écrivains ne se sont d'ailleurs pas privés d'en faire état. Ainsi, Balzac employait une expression éloquente : *tuer les mouches au vol***.

* Voir les expressions *On va casser la graine*, p. 103, et *Il est resté en carafe*, p. 75.

** *Les Illusions perdues*, Balzac : « Si vous aviez le pouvoir de faire dire que le jeune premier a un asthme, la jeune première une

San-Antonio, pour sa part, lui préférait une invention linguistique de son cru : « haleine qui sent l'égout-quand-le-temps-va-changer*. » Quoi qu'il en soit, il n'est jamais bon de se trouver dans l'entourage immédiat de celui dont on parle.

Il a le trouillomètre à zéro

« Il a très peur. »

Sur le modèle du thermomètre qui donne la température (le suffixe -mètre faisant référence à un instrument de mesure), le *trouillomètre* serait un appareil servant à quantifier la frousse. En réalité, on n'a jamais eu besoin d'un tel objet car la peur, on l'éprouve physiquement. On *a les miches qui font bravo* quand les fesses tremblent, on *joue des castagnettes* lorsque les testicules s'y mettent, et, en claquant des dents, on *a les chocottes* (un mot qui viendrait de *chicot*, « dent », ou de *choquer*, au sens propre de « heurter »)… Le *trouillomètre* n'est pas la seule trouvaille linguistique dans le genre, puisqu'on peut juger au *pifomètre*, « approximativement », ou *ouvrir son déconophone* pour dire des bêtises (le suffixe -phone ayant donné Gramophone, électrophone, téléphone…).

---

fistule où vous voudrez, que la soubrette tue les mouches au vol, vous seriez joué demain. »

* *De A jusqu'à Z…*, San-Antonio, Fleuve noir, 1961.

À la gomme

« Sans valeur ; médiocre. »

Au XIXe siècle, on qualifiait de *gommeux* « [un] jeune hommes que son élégance excessive et sa prétention rend[ai]ent ridicule », selon le *Dictionnaire historique de la langue française* Robert, peut-être parce qu'il se *gommait*, « se pommadait », ou qu'il portait des vêtements *gommés*, « empesés ». Ce sens a donné naissance au mot *gomme*, qui caractérisait l'élégance surfaite de ces jeunes gens, puis à la locution *à la gomme*, « sans valeur », restée à la mode tandis que les termes précédents tombaient dans l'oubli. Un siècle plus tard, en 1965, Brigitte Bardot chantait *Bubble Gum* :

> « Aimer toujours le même homme
> C'est des histoires à la gomme
> L'amour mon vieux c'est tout comme
> du bubble bubble gum. »

Il ne suce pas que de la glace

« Il boit beaucoup d'alcool. »

Voilà une autre manière de dire *Il ne boit pas que de l'eau*... On note une mauvaise habitude ou on critique une véritable addiction en usant d'un euphémisme, adoucissant la réalité qui dérange. Dans les années 1950, histoire de varier les plaisirs, on a remplacé la *glace* de l'expression par des friandises : *Il ne suce pas des pralines*.

Il a l'air d'un accident de chemin de fer

« Il est dans un triste état. »

Dans un autre genre, on peut avoir la *gueule à caler des roues de corbillard*, qui n'est pas loin de la *gueule de faire-part* : une tête d'enterrement. En revanche, on était une *gueule cassée* au sens propre. Car les tirs d'obus de la guerre de 1914-1918 tuèrent et mutilèrent de nombreux soldats, notamment au visage… Une véritable boucherie, qui fit environ 9 millions de morts et 6,5 millions d'invalides. Le 28 juin 1919, lors de la signature du traité de Versailles, dans la galerie des Glaces du château, Clemenceau fit venir cinq gueules cassées. Une image forte : leur présence devait témoigner de l'atrocité de la guerre. Les signataires durent défiler devant cette délégation avant de parafer le document. Rejetés par la société, les défigurés connurent de longs séjours à l'hôpital et eurent une vie particulièrement difficile. Mais une association leur vint en aide : l'Union des blessés de la face, fondée par de grands mutilés du visage. Très active, elle lança avec d'autres associations La Dette, en 1931 : une tombola qui aidait financièrement les anciens combattants revenus du front avec un handicap. C'est aussi l'ancêtre de la Loterie nationale car, au vu de son succès, l'État créa son propre jeu en 1933. Pour la bonne cause : les profits réalisés étaient reversés à la Caisse de solidarité contre les calamités agricoles ainsi que pour les retraites des anciens combattants.

Il ne faut pas déshabiller Pierre pour habiller Paul

« Un problème ne se résout pas en déplaçant les difficultés. »

À l'origine, on disait *découvrir saint Pierre pour couvrir saint Paul*. Car, dans cette expression, il est question de saints : elle fait référence à la pratique d'habiller les statues les représentant à l'occasion des fêtes religieuses. Aujourd'hui tombée dans l'oubli, cette coutume a perduré en France jusqu'au début du XIXe siècle. N'ayant pas de parures pour chacun, les églises les plus pauvres les auraient attribuées à saint Paul et saint Pierre à tour de rôle.

Je m'en moque comme de colin-tampon

« Je m'en fiche complètement. »

Colin-Tampon était à l'origine le nom d'une batterie de tambour de l'armée suisse et le surnom donné aux soldats suisses eux-mêmes. À la fin du XVIIe siècle, l'expression n'était pas tout à fait la même qu'aujourd'hui puisqu'on disait *s'en soucier comme de colin-tampon*. D'autre part, toujours au XVIIe siècle, on désignait un homme corpulent en parlant d'un *colin-tampon*, sans doute par analogie avec la batterie, un ventre proéminent pouvant être aussi qualifié de *gros tambourin*.

Ta bouche, bébé, t'auras une frite !

« Ferme ta bouche ; tais-toi. »

Il y a plusieurs façons d'intimer le silence. *Ferme ta grande bouche* est la plus explicite, la plus directe. *Ta bouche, bébé, t'auras une frite* est tirée de *Ferme ta bouche*, et contient une dimension supplémentaire, la reconnaissance : *t'auras une frite* sous-entend « on te saura gré de t'être tu ». Dans le même genre, on trouve aussi *Ferme ton sucrier, tu attires les mouches*, plus mordante. En remontant le temps, on leur préférera sans doute la jolie expression *Motus et bouche cousue*, dans laquelle *motus* (une latinisation plaisante de *mot*) signifie « pas un mot » et vient renforcer *bouche cousue*. Enfin, avec *Mets ça dans ta poche avec un mouchoir dessus*, on vous demande de garder un secret ou de supporter un affront, de la même manière qu'on *met son orgueil* ou *sa fierté dans sa poche*.

Il a fait tintin

« Il n'a pas obtenu ce qu'il attendait. »

Non, ce n'est pas une référence aux aventures de Tintin ; le héros de Hergé réussit d'ailleurs toujours ce qu'il entreprend. Au XVIe siècle, *faire tintin*, c'était « payer en espèces sonnantes », le mot rappelant le bruit des pièces de monnaie qui tintent. Puis l'usage s'est perdu jusqu'au XXe siècle. En réapparaissant, l'expression a pris un nouveau sens, celui d'« être privé, frustré ». Et employé seul sous la forme de l'exclamation *tintin !*, il signifie « rien du tout ».

C’est un drôle de coco

« C’est quelqu’un de peu recommandable ; il est bizarre. »

Cot, cot, cot, caquette la poule… *Coco*, comme *cocotte*, serait un mot formé à partir du cri de l’animal. Souvent, on surnomme les enfants *coco*, et c’est probablement par antiphrase qu’on a attribué ce qualificatif à un homme qui n’inspirait pas confiance, le *drôle de coco* ou le *joli coco*, ou à une femme aux mœurs légères, la *cocotte*. Par ailleurs, on a pu appeler *Coco bel-œil* un borgne, quelqu’un qui louchait ou qui était laid.

Trente-six métiers, trente-six misères

« La vie est dure et chaque métier a ses difficultés. »

Douze métiers, treize misères est dans la même veine : on s’escrime au travail pour, au final, ne pas profiter de la vie… C’est la situation dans laquelle se retrouve *L’Italien*, de Serge Reggiani, quand il rentre chez lui des années après être parti et qui ne « rêve [que] d’une chaise » :

> « J’ai fait tous les métiers
> Voleur, équilibriste
> Maréchal des logis
> Comédien, braconnier
> Empereur et pianiste… »

Il s'est fait porter pâle

« Il a déclaré qu'il était malade ; il n'est pas venu. »

L'expression vient de l'argot militaire des années 1900. Un soldat *se faisait porter pâle* quand, se déclarant souffrant, il se faisait admettre à l'infirmerie, la pâleur étant le premier symptôme de la maladie. Il s'agissait souvent d'une feinte pour échapper à une corvée ou un travail rebutants, voire à une situation dangereuse. Toujours dans l'armée mais plus tard, dans les années 1920, on a pu trouver l'expression *faire la pâle gueule*, synonyme d'« être en état de stupeur » : le fantassin devient livide sous le coup de l'émotion. Dans la vie civile, on dira plus facilement que quelqu'un *en a fait une jaunisse*, à mi-chemin entre *en faire une maladie* et *se faire de la bile*... Cette fois, il a la même couleur que celui qui souffre d'une crise de foie !

Un homme sans femme est comme un cheval sans bride

« L'homme a besoin de la femme pour le guider. »

Dans le portrait de *Libération* du 26 novembre 2007, le comédien-conteur Yannick Jaulin évoque sa grand-mère : « Mémé Hélène avait de la goule [...] Elle disait : "Un homme sans femme est com'un ch'val sans bride." » Encore aujourd'hui, on peut dire qu'on *tient quelqu'un en bride* quand on le surveille ou qu'on réfrène ses envies. Bref, selon Mémé Hélène, seules les femmes sont capables de mettre les hommes dans le droit chemin.

Il y a un pépin

« Il y a un petit problème. »

Comme lorsqu'on mange un fruit et qu'on avale un pépin de travers, la graine désigne une difficulté qui a du mal à passer. À ne pas confondre avec *avoir avalé un pépin*, « être enceinte », apparue au milieu du XIXe siècle. L'avortement n'ayant été légalisé qu'en 1975, les conséquences de ce pépin-là pouvaient être fâcheuses si l'enfant n'avait pas été désiré. Auparavant, les femmes n'avaient souvent pas d'autre choix que d'aller voir clandestinement une *faiseuse d'anges*. Un joli nom pour une réalité difficilement supportable, celle-ci pratiquant l'avortement dans des conditions rudimentaires.

Fais un nœud à ton mouchoir

« Fais-toi un pense-bête ; essaie de te le rappeler. »

À l'époque des mouchoirs en papier jetables, difficile de *faire un nœud à son mouchoir*, ce simple geste censé servir de moyen mnémotechnique. Remarquez que les Français semblent avoir mauvaise mémoire depuis longtemps puisque nos ancêtres disaient déjà au XIVe siècle *faire un nou en sa ceynture* et, à la fin du XVIIe siècle, *mettre une épingle sur sa manche*.

C'est reparti comme en quatorze

« Tout recommence joyeusement comme avant, comme si rien ne s'était passé. »

L'expression fait clairement référence à la Première Guerre mondiale. Au tout début de la guerre, en 1914, les soldats partaient au front *la fleur au fusil*, sans se rendre compte de ce qui les attendait. Ils connurent rapidement les conditions extrêmes de la vie des tranchées : les tirs incessants de l'ennemi, la boue, l'humidité, les rats, les puces, les blessés graves et… les cadavres. Au final, cette guerre fit près de 9 millions de morts. De cet épisode de l'histoire, on n'a tiré aucune leçon, puisque en 1939, *c'était reparti comme en quatorze*.

Il n'a rien dans le ciboulot

« Il est bête. »

En picard, la *cibole* était la partie renflée d'une massue. Le mot *ciboule* a ensuite désigné une plante proche de l'oignon puis, par analogie avec la forme ronde du bulbe, la tête. Mais l'usage n'est pas resté : dans ce sens, c'est le mot formé avec le suffixe -ot, *ciboulot*, qui s'est implanté.

Il est porté sur la chose

« Il montre de l'intérêt pour l'amour physique. »

Habituellement imprécis, le mot *chose* est ici une référence implicite à une activité bien particulière que l'on n'ose mentionner : les plaisirs de l'acte charnel. On peut rapprocher cette expression d'*être porté sur la bagatelle*, qui vient de l'italien *bagatella*, « chose de peu de prix » et « chose de peu d'importance, frivole ». En France, le mot *bagatelle* a eu un temps le sens d'« amusement galant », puis il n'en a plus été question : on est passé à l'amour physique. Un sujet quasi inépuisable quand on parle français, comme le prouve Jean-Claude Carrière qui a recueilli un nombre impressionnant d'expressions sur ce thème dans *Les Mots et la Chose** :

> « On peut, et pas seulement à Noël, *mettre le petit Jésus dans la crèche*. On peut dire aussi *s'appuyer*, *se pointer une fille*, *jouer à la renverse*, *au trou-madame*, *à touche-pipi*, *à papa-maman*, *au repeuplement*, *à la bagatelle*, *au docteur*. On trouve dans Rabelais *faire la bête à deux dos*, *jouer à serre-croupière*, *se faire ratoconniculer*, dans Shakespeare (*Mesure pour mesure*) *tâter la truite dans un ruisseau privé*, dans Marcel Proust *faire cattleya* (du nom d'une fleur au corsage d'Odette) et *se faire casser le pot* (qui offre un sens assez particulier). »

* *Les Mots et la Chose*, *Le grand livre des petits mots inconvenants*, Jean-Claude Carrière, Plon, 2002.

Il est rangé des voitures

« Il mène une vie assagie. »

Avant, le verbe *se ranger* avait le sens de « s'écarter de la circulation pour laisser le passage », mais aussi de « s'assagir ». On peut voir dans l'expression *Il est rangé des voitures* un jeu de mots entre ces deux significations : celui dont on parle a laissé derrière lui sa vie dissipée pour mener une vie paisible, loin de la frénésie de la circulation des voitures… à cheval, puisque la formule date de la fin du XIXe siècle.

Le marchand de sable est passé

« C'est l'heure pour les enfants d'aller se coucher ; les enfants ont sommeil. »

Le marchand de sable est apparu dès le XVIIe siècle : il venait endormir les enfants en faisant tomber des grains de sable sur leurs yeux. Et au XVIIIe siècle, on disait *avoir du sable dans les yeux* pour « avoir envie de dormir ». À partir de 1962, dans *Bonne nuit les petits*, un programme pour enfants, ce personnage merveilleux s'est incarné à la télévision sous la forme d'une marionnette. Tous les soirs, il emmenait Nounours sur son nuage pour rendre visite à Nicolas et Pimprenelle. Et, à la fin de chaque épisode, il leur envoyait du haut de son petit nuage une poignée de sable pour les endormir tandis que Nounours leur lançait : « Bonne nuit, les petits, faites de beaux rêves ! »

C'est un vent à décorner les cocus

« C'est un vent particulièrement violent. »

Un vent très fort serait capable de *décorner les bœufs* aussi bien que *les cocus* (un mot qui vient de *coucou*, la femelle de l'oiseau étant connue pour aller pondre ses œufs dans d'autres nids que le sien). Car, depuis le XVe siècle, les cornes sont l'attribut de l'imbécile, en particulier du mari trompé, qui *porte* ou *se fait planter des cornes*. Au XVIIe siècle est même apparu un mot dérivé, *cornard*, synonyme de cocu. Et à Paris, au XIXe siècle, pour désigner un homme à la femme infidèle, on disait qu'il *ne pouvait pas passer sous la porte Saint-Denis*...

Il est né coiffé

« Il a beaucoup de chance. »

Coiffe vient du germanique *kufia*, « casque ». Parfois, pendant l'accouchement, le nouveau-né sort du ventre de sa mère avec une partie des membranes fœtales (la poche des eaux) sur la tête... On dit alors que l'enfant est *né coiffé*, un signe de bonne fortune. Si le terme de *coiffe* n'est plus très employé aujourd'hui dans ce sens, l'expression s'est généralisée et désigne toute personne qui a de la chance.

Y a de l'eau dans le gaz

« Ça ne va pas très bien ; l'atmosphère est tendue. »

« Eau et gaz à tous les étages »... Au XIXe siècle, cette plaque fleurit sur la façade des immeubles parisiens. Pour les besoins domestiques, les foyers commencent à être approvisionnés en gaz de ville, généralement produit par distillation de la houille. Ce gaz contient un fort taux de vapeur d'eau. Parfois, cette eau peut provoquer des bruits de petites explosions et faire vaciller la flamme de la cuisinière, voire l'éteindre... Un désagrément de la vie quotidienne que l'on peut comparer aux disputes occasionnelles qui ponctuent la vie de couple. En 1946, le gaz de ville est remplacé par le gaz naturel, moins dangereux, mais l'expression subsiste. Elle s'est même généralisée puisqu'elle désigne toute situation où la tension est palpable.

Parigot, tête de veau ; Parisien, tête de chien

« Foutus Parisiens ! »

Entre provinciaux et Parisiens, les relations ont rarement été bienveillantes... Ces derniers traitent depuis toujours les provinciaux de *ploucs*, *bouseux*, *péquenauds* ou *pedzouilles*, de « paysans rustauds ». Et à la campagne, on raille les habitants de la capitale, antipathiques et râleurs. Une formule qui sonne comme un mauvais souvenir d'enfance pour l'écrivain Denis Tillinac* :

> « "Parisien, tête de chien ; Parigot, tête de veau !" Ce refrain de la rancœur provinciale, je le connais par cœur. On me l'a seriné – entre autres – à Vichy, parce que je venais de la capitale. Pour le faire taire, j'ai invoqué d'indiscutables ascendances bourbonnaises. Peine perdue : le Vichyssois n'est pas vraiment bourbonnais. Ni auvergnat. Même pas alliérois : il toise Moulins l'enracinée avec une morgue de cousin d'Amérique, et tient Montluçon la prolo pour non avenue. »

Roulez, jeunesse !

« Allez-y ! »

Dans les fêtes foraines, les employés des manèges lançaient un énergique *Allez, roulez, jeunesse !* quand ceux-ci commençaient à tourner. Une formule que les parents ont conservée pour inviter leurs enfants, petits ou grands, à passer à l'action… ou à déguerpir hors de leur vue ! Rien à voir avec les adultes qui, un brin méprisants, relèvent l'inexpérience ou les défauts des jeunes gens d'un *Il faut que jeunesse se passe.*

* *Vichy*, Denis Tillinac, Éditions du Champ Vallon, collection « Des villes », 1986.

On va casser la graine

« On va manger sur le pouce. »

Hier, on *cassait la graine* comme aujourd'hui on *casse la croûte*. *Casser* a ici le sens de « manger » (les dents broyant les aliments). Comme la *croûte*, synonyme de « pain » puis de « nourriture », la *graine* est une métaphore du blé qui a pris la définition de « repas sommaire ». Autres temps, autres mots : si dans les années 1940 on se préparait un *casse-graine*, on préfère de nos jours déjeuner d'un *casse-croûte* ou d'un *casse-dalle*. Quant au mot *dalle*, il désigne familièrement la gorge. Il s'est formé à partir de l'ancien scandinave *daela*, « gouttière », et n'est pas sans rappeler ses équivalents argotiques formés sur la même image, comme *goulot* ou *carafe**.

Celui-là, il vendrait un cercueil pour trois

« Quel baratineur ! »

On trouve aussi l'expression *Ça se vend comme un cercueil à deux places*, comprenez « ça se vend très mal ». Dans les deux cas, on fait référence à un vrai cercueil, un article qui est moins facile à vendre que *des petits pains*... En revanche, un *cercueil à roulettes* fait référence à une voiture avec laquelle on risque sa vie. En roulant *à tombeau ouvert*, par exemple.

* Voir l'expression *Il est resté en carafe*, p 75.

Il ne faut pas prendre les enfants du bon Dieu pour des canards sauvages

« Il ne faut pas prendre les gens pour des imbéciles. »

Probablement tirée d'un dialogue de théâtre ou d'une chanson, l'expression doit sa célébrité à Michel Audiard. *Faut pas prendre les enfants du bon Dieu pour des canards sauvages* est le titre de son film sorti en 1968, avec des dialogues comme toujours parfaitement ciselés :

> – J'ai bon caractère mais j'ai le glaive vengeur et le bras séculier. L'aigle va fondre sur la vieille buse.
> – C'est chouette, ça, comme métaphore.
> – C'est pas une métaphore, c'est une périphrase.
> – Oh, fais pas chier !
> – Ça, c'est une métaphore.

Alors président de la République, le général de Gaulle lui-même reprit la formule au cours d'une conférence de presse. Revenant sur les événements de mai 1968, survenus trois mois plus tôt, il estimait que cette crise avait été aussi grave parce que « l'anarchie universitaire » puis « l'étouffement économique imposé à grand renfort de piquets de grève par des confédérations syndicales » avaient pu se déployer « longuement et obstinément » et ce, notamment, « grâce à l'étrange illusion qui faisait croire à beaucoup que l'arrêt de la vie pouvait devenir fécond ; que le néant allait, tout à coup, engendrer le renouveau ;

que les canards sauvages étaient les enfants du bon Dieu*. » Jolie consécration.

C'est une sacrée gueule d'empeigne

« Il est antipathique, désagréable. »

Allez savoir pourquoi l'*empeigne*, le dessus de la chaussure, du cou-de-pied jusqu'aux orteils, a fini par désigner une personne ! À la fin du XIXe siècle, une *gueule d'empeigne* était une personne laide ou à la mine peu amène, puis elle a caractérisé l'individu tout entier, pas sympathique pour un sou.

Il a du foin dans ses bottes

« Il est riche ; il garde des économies de côté. »

Dans des temps reculés, les paysans ne portaient pas de chaussettes. L'hiver, pour se protéger du froid, ils garnissaient leurs sabots de paille et non de foin, ce fourrage plus cher mais aussi plus nutritif pour les animaux. L'expression joue sur les deux sens du terme. Sans le sou, ils ne pouvaient se payer des bottes, des chaussures au-dessus de leurs moyens, et avec leur petit lopin de terre, impossible de constituer des bottes de foin : il leur aurait fallu posséder un plus vaste domaine !

* *Discours et messages*, Charles de Gaulle, Plon, 1970.

S'il n'existait pas, il faudrait l'inventer !

« C'est un phénomène ; il est unique en son genre ! »

Cette exclamation fait référence à Voltaire, qui écrivait dans sa lettre à Bernard-Joseph Saurin en 1770 : « Si Dieu n'existait pas, il faudrait l'inventer. » La formule, désormais employée en guise de boutade, qualifie des gens qui sortent de l'ordinaire… En particulier lorsque Joe Dassin chantait en 1975 *Et si tu n'existais pas* :

> « Et si tu n'existais pas,
> J'essaierais d'inventer l'amour,
> Comme un peintre qui voit sous ses doigts
> Naître les couleurs du jour.
> Et qui n'en revient pas. »

C'est de la roupie de sansonnet

« Ça n'a pas de valeur ; ce n'est pas digne d'intérêt. »

Contrairement à ce qu'on pourrait penser, la *roupie* ne désigne pas la monnaie indienne, mais la morve. Avant, on disait même *avoir la roupie au nez* quand il ne cessait de couler. Mais on ne sait pas ce que vient faire là le *sansonnet*, l'étourneau… Qui n'est pas le seul animal à avoir fait les frais de cette expression, puisqu'on a aussi dit *C'est de la roupie de singe*. Ce qui est sûr, en tout cas, c'est qu'on préfère attribuer ces manifestations corporelles à nos amies les bêtes plutôt qu'à nous autres, êtres humains. On s'exclame, par exemple, *Ça ne vaut pas un pet de lapin*, *C'est de la crotte de bique* ou *C'est du pipi de chat !**

Je l'ai envoyé chez Plumeau

« Je l'ai envoyé promener. »

Barbier ou fripier ? Plumepatte ou Plumeau ? Certains voient dans cette expression une référence à Plumepatte, un barbier légendaire ; d'autres, à Plumeau, qui aurait tenu un magasin de vêtements. Mais personne ne sait très bien ce que viennent faire là ces deux personnages... On peut toutefois comprendre la seconde hypothèse comme une façon originale de dire *Il peut aller se rhabiller*.

Il a un nez à piquer des gaufrettes

« Il a un nez pointu. »

Un *nez à piquer des gaufrettes*, long et pointu, n'offre pas le même profil que le *quart de brie au milieu du visage*, un nez imposant, que la *patate* ou que l'*aubergine*, dont la couleur violacée caractérise l'ivrogne. L'appendice est si visible qu'on dit d'une évidence *Cela se voit comme le nez au milieu de la figure*. C'est aussi un sujet de moquerie dont il vaut mieux ne pas être la victime, à moins d'être le Cyrano de Bergerac d'Edmond Rostand

* Voir les expressions *Ça ne vaut pas un pet de lapin*, p. 13, et *c'est du pipi de chat*, p. 125.

et d'avoir le sens de la repartie aussi aiguisé que celui de l'autodérision :

> « C'est un roc !... c'est un pic !... c'est un cap !
> Que dis-je, c'est un cap ?... C'est une péninsule ! »

Quant à la bouche, il est préférable au XIXe siècle de l'avoir « *bien meublée* », comme dans *Le Capitaine Fracasse*, de Théophile Gautier, ou d'*avoir le jeu complet*. En ce temps-là, s'il manquait des dents à quelqu'un, on disait qu'il *boudait aux dominos*, le pire étant toutefois de *n'avoir plus de chaises dans la salle à manger*, d'être complètement édenté.

Quel toupet !

« Quel culot ! »

Son toupet s'échauffe, disait-on au XVIIIe siècle d'une personne en colère. Par métonymie, le *toupet*, qui était jusqu'alors une simple touffe de cheveux au sommet du crâne, a désigné la tête puis l'esprit. De nos jours, le sens est encore différent, puisque quelqu'un qui *a du toupet* dépasse les limites que l'on juge acceptables. Une évolution comparable au mot *front*, qui a donné *avoir le front de*, comme si l'audace se lisait sur le visage.

N’en jetez plus, la cour est pleine

« Ça suffit ; inutile d’en rajouter. »

Quand on dit *La coupe est pleine*, c’est-à-dire « je n’en supporterai pas davantage », on fait référence au verre à boire susceptible de déborder. Mais si le mot est resté dans cette formule, on n’utilise plus de tels récipients pour se désaltérer (mis à part les coupes à champagne… pour s’enivrer). Cette expression a du moins précédé, si ce n’est inspiré *N’en jetez plus, la cour est pleine*. À la fin du XIXe siècle et jusque dans les années 1940 existait en effet un genre de mendiant qui a aujourd’hui disparu : le chanteur des cours. Il se postait sous les fenêtres des habitants qui lui lançaient des pièces pour le remercier, ou des ordures s’ils étaient mécontents. Un brin ironique, *N’en jetez plus, la cour est pleine* fait donc allusion à l’un de ces deux modes de rétribution. Par ailleurs, le chanteur des cours se distinguait du chanteur de rue, une profession reconnue et réglementée qui assurait légalement la diffusion des œuvres musicales. À une époque où les médias étaient peu présents, voire inexistants dans les foyers, ces derniers faisaient connaître les airs du moment, vendaient les livrets contenant les paroles et les partitions aux passants, et faisaient le succès de certains refrains. En effet, en France, la première émission de radio pour le public a été diffusée en 1921, tandis qu’en 1950 on ne comptait que 3 500 téléviseurs dans tout le pays.

Il lui fait du plat

« Il la drague lourdement. »

Le *plat* de cette expression fait référence au… *plat de la langue*, le « bavardage » ! Au XVIIe siècle, la gent masculine *donnait du plat de la langue* quand elle flattait une jeune femme dans le but de la séduire ou quand elle parlait avec éloquence… Rien à voir, donc, avec les *platitudes*, les « banalités », que peut sortir un homme à une femme quand il lui *fait du plat*.

Je suis tombé sur un bec

« J'ai rencontré un gros problème. »

À l'origine, le *bec de gaz* était un réverbère alimenté au gaz pour éclairer les rues. Il avait une silhouette aussi droite qu'un soldat au garde-à-vous et éclairait les coins sombres des ruelles comme le policier peut *faire la lumière* dans une enquête. Quand un voyou, pris en flagrant délit, *tombait sur un bec de gaz* – le surnom donné aux agents de la paix –, il était cuit ! Ensuite, la fée électricité donna un coup de baguette magique sur le mobilier urbain. Dans les années 1880, à Paris, les grands boulevards et la place de l'Opéra furent pourvus des premiers lampadaires électriques, puis peu à peu toute la ville en bénéficia. Le *bec de gaz* tombant dans l'oubli, on cessa de prononcer ce qui ne faisait plus sens et on dit simplement *Je suis tombé sur un bec* pour évoquer une difficulté inattendue. Mais nos grands-mères pouvaient tout autant *tomber sur un os*…

Ça mange pas de pain

« Ça ne prête pas à conséquence ; on ne risque rien à le tenter. »

Le pain, à la base de l'alimentation des Français pendant longtemps, a inspiré de nombreuses expressions : *C'est pain bénit*, *Manger son pain blanc*, *Avoir du pain sur la planche*, *Gagner son pain à la sueur de son front*, etc. À la fin du XVIIe siècle, *Ça ne mange pas de pain* signifiait « ça ne coûte rien » au sens propre, évoluant au XXe siècle en « on n'a rien à perdre ». *Je ne mange pas de ce pain-là*, dont la forme est proche, est pourtant très différent sur le fond. L'expression s'est d'abord employée pour marquer son refus de tirer un profit quelconque, en particulier en contrepartie d'informations fournies à la police. De nos jours, elle exprime de façon plus générale la décision de ne pas s'associer à une action que l'on réprouve.

Il mange avec les chevaux de bois

« Il ne mange rien. »

Contrairement à leurs modèles en chair et en os, les chevaux de bois des manèges n'ont pas besoin d'être nourris. Vivant dans la misère, la personne qui *mange avec les chevaux de bois* est donc le plus souvent privée de repas. Et il faut croire que passer du temps avec nos amis des fêtes foraines, cela fait aussi dire des bêtises… Une histoire fausse ou sans valeur sera en effet taxée de *boniments à la graisse de chevaux de bois*. À l'origine, on parlait de *boniments à la graisse d'oie*, mais celle-ci devenant un aliment apprécié des gourmets, on se rabattit sur des images tout aussi loufoques que le récit paraissait invraisemblable, comme les *boniments à la graisse de parapluie* ou *de hérisson*.

Il y a des coups de pied au cul qui se perdent !

« Il faudrait lui botter les fesses ; il mériterait une correction. »

Il y a deux manières de voir les choses : soit en plaisantant, soit sous l'emprise de la colère… En 1957, Georges Brassens en évoquait toutefois une troisième, dans sa chanson *Grand-père* :

> « J'avais hérité d'grand-père
> Un' pair' de bott's pointues.
> S'il y a des coups d'pied que'que part qui
> s'perdent,
> C'lui-là toucha son but.
> C'est depuis ce temps-là que le bon apôtre,
> Ah ! C'est pas joli…
> Ah ! C'est pas poli…
> A un' fess' qui dit merde à l'autre. »

Les carottes sont cuites

**« C'est fichu ; les jeux sont faits ;
il n'y a plus rien à espérer. »**

De nos jours, on entend parfois les adolescents s'exclamer *Il s'est fait carotte* ou *carotter* pour dire « il s'est fait arnaquer ». Un langage de jeunes pas si moderne que cela : déjà, au XIXe siècle, une *carotte* désignait un menu larcin ou une petite escroquerie. Pris dans ce sens, le mot aurait été associé à la locution *C'est cuit*, c'est-à-dire « c'est raté ». *Les carottes sont cuites* signifie donc que même les petites entourloupes n'ont plus une chance de réussir.

J'ai payé cuir et poil

**« J'ai acheté quelque chose
au prix fort, sans aucune remise. »**

Habituellement, dans une boucherie, on ne paie que la viande que l'on va manger. Le commerçant qui oserait compter sur la note le cuir et le poil d'un morceau, d'un rôti de bœuf par exemple, serait sacrément malhonnête ! *J'ai payé cuir et poil* est donc une façon d'exagérer en insistant sur la somme exorbitante que l'on a dû débourser : sans escroquerie aucune, on ne nous a pas fait de cadeau. Une situation qui ne serait sans doute pas arrivée si l'on *s'était payé sur la bête*, « sans intermédiaire »… Mais il suffit de se rendre dans les boutiques des beaux quartiers pour s'acheter un produit qui *coûte les yeux de la tête* ou, plus vulgairement, *la peau des fesses*, deux expressions construites sur le redoublement yeux/tête et peau/fesses qui marque l'insistance. *Coûter un œil* est finalement bien moins impressionnant que *coûter les yeux de la tête*, non ?

Elle est plate comme une limande

« Elle n'a pas de poitrine. »

De même que Pierre Perret chantait *Le Zizi* des hommes – « Le gros touffu, Le p'tit joufflu, Le grand ridé, Le mont pelé [...] » –, les qualificatifs ne manquent pas pour décrire la poitrine des femmes : *plate comme une limande* (tel ce poisson extrêmement plat), *œufs sur le plat* (petits), *obus* (une poitrine généreuse), *en gants de toilette* (plats et tombants), *en pomme* ou encore *en poire*...

C'est la famille tuyau de poêle

« C'est une famille incestueuse ; quelle bande de ploucs ! »

Cette expression vulgaire fait une comparaison claire : les tuyaux du poêle qui chauffait les maisons s'emboîtaient les uns dans les autres. *La famille tuyau de poêle* est une famille peu recommandable, dont les membres ont des relations sexuelles entre eux. En 1933, Jacques Prévert écrivit une pièce de théâtre intitulée *La Famille Tuyau de poêle ou Une famille bien unie*. Il y mettait en scène une famille de bourgeois qui, sous des apparences respectables, pratiquait adultères et incestes.

Claude Duneton remarque néanmoins que, de nos jours, le sens de l'expression a totalement changé :

> « Abandonnant en route un signifié plein de débauche, elle s'est attachée à désigner un genre de famille populacière, sans effleurer même la pédophilie tellement publiée de nos jours. Ce que les gens entendent aujourd'hui par *une famille tuyau de poêle* est une famille à faible revenu, vaguement quart-mondiste, très pittoresque, telle qu'elle est décrite par exemple dans le film *La vie est un long fleuve tranquille* sous les traits de la famille Groseille… La locution stigmatise le mauvais goût, le sans-gêne, le laisser-aller, mais sans connotation sexuelle.* »

Dans son acception moderne, elle se rapproche donc de la *famille Fenouillard*, qui symbolise la famille franchouillarde et provinciale. Née de l'imagination du dessinateur Christophe, la bande dessinée sortait en feuilleton à la fin du XIXe siècle. L'histoire ? Les Fenouillard, bonnetiers de père en fils, possèdent une boutique nommée « Autant ici qu'ailleurs », à Saint-Rémy-sur-Deule, en Somme-Inférieure. Monsieur Fenouillard, son épouse et leurs deux filles vivent de nombreuses mésaventures bien au-delà de leur région, se rendant même jusqu'en Amérique. Leur bêtise et leur ignorance peuvent se résumer à la réplique de madame Fenouillard quand on lui propose de se rendre en Angleterre :

> « Jamais […] Je ne veux rien avoir de commun avec la perfide Albion qui… dont… qui a brûlé Jeanne d'Arc sur le rocher de Sainte-Hélène. »

* Dans *Le Figaro* du 15 octobre 2007, « Le plaisir des mots ».

Il a les yeux qui se croisent les bras

« Il louche. »

L'expression s'emploie pour indiquer un strabisme convergent. Dans le même genre, on trouve aussi *Il a un œil qui joue au billard et l'autre qui compte les points* ou encore *Il a un œil à Paris et l'autre à Pontoise.*

Un petit rien bordé de jaune

« Rien. »

Jamais à court d'imagination pour exciter leur curiosité ou les faire tourner en bourrique, les parents avaient des réponses toutes trouvées aux questions de leurs enfants. Est-ce que je vais avoir un cadeau ? *Oui, un petit rien bordé de jaune* ou *Bien sûr, un que dalle enveloppé dans du papier doré.* Qu'est-ce qui se passe ? *Mystère et boule de gomme* (la *boule de gomme* étant le chewing-gum du XIXe siècle). Est-ce que j'ai grandi ? *Ta tête dépasse tes cheveux...*

On tuerait un âne à coups de bonnet

« Il est trop lent ; c'est interminable. »

Quand on se dit prêt à *tuer un âne à coups de bonnet*, voire *à coups de* figue, on préférerait sûrement *tuer le temps* en se trouvant une activité, surtout si quelqu'un nous *fait tenir la mule...* ce qui signifiait, au XVIIe siècle, « faire attendre quelqu'un un long moment à la porte ».

On *fait le poireau* ou on *attend cent sept ans* jusqu'à ce qu'on se demande si on n'est pas *resté sur la touche*, comme les sportifs, ou si on ne s'est pas *fait poser un lapin*… Au XIXe siècle, les *lapins* étaient les passagers pris en surnombre dans les voitures publiques (donc serrés comme des lapins dans leur clapier) : les conducteurs ne les comptabilisaient pas, se mettant dans la poche le prix de leur trajet. Puis le mot a désigné les fraudeurs eux-mêmes. De là est née l'expression *faire cadeau d'un lapin à une fille*, transformée rapidement en *poser un lapin*, « ne pas rétribuer les faveurs d'une prostituée » qui, de nos jours, a pris le sens de « ne pas honorer un rendez-vous ».

Va mettre ta viande dans le torchon

« Au lit ! »

L'homme est un être fait de chair et d'os qu'on recouvre la nuit comme on enveloppe le jambon d'un linge pour qu'il ne sèche pas… Avouez qu'il y a plus flatteur comme comparaison ! Quand vient l'heure de se coucher, on préférera sûrement se réfugier *dans les bras de Morphée*. Dans la mythologie grecque, Morphée était l'un des mille enfants d'Hypnos (le Sommeil) et de Nyx (la Nuit). Ce dieu des Songes endormait les mortels en les touchant d'une fleur de pavot et apparaissait aux rêveurs sous la forme d'un être humain.

Il lui manque toujours dix-neuf sous pour faire un franc

« Il est toujours à court d'argent. »

Avant l'euro, il y avait le franc. Et avant les nouveaux francs et leurs centimes, en circulation de 1960 à 2002 (année où l'euro est devenu la monnaie unique), il y avait les anciens francs et leurs sous. Il fallait alors vingt sous pour faire un franc. À cette époque, on pouvait dire qu'un objet valait *trois francs six sous*, « une somme modique », et, quand on s'embêtait copieusement, on s'exclamait qu'on *s'ennuyait à cent sous de l'heure*… La bonne blague : ça se saurait si on était payé à ne rien faire !

Il est aux abonnés absents

« Il est introuvable ; il ne donne pas signe de vie. »

Avant l'installation des centraux téléphoniques automatiques dans les années 1970, des opératrices, les « demoiselles du téléphone » comme on les appelait alors, répondaient et transmettaient les appels. En ce temps-là, il y avait un service dit « des abonnés absents », aujourd'hui disparu.

Tu la craches, ta Valda ?

« Tu vas te décider à parler ? »

La Valda, une pastille verte à l'eucalyptus et à la menthe, a été commercialisée au début du xxe siècle pour soulager les maux de gorge. Le Dr Henri-Edmond Canonne, un pharmacien lillois, décida un jour de mettre la clé sous la porte pour aller faire fortune à Paris. Il ne s'établit pas n'importe où : à l'angle du boulevard Sébastopol et de la rue Réaumur, en face d'un grand Félix Potin (une pharmacie qui existe encore !). Rapidement, son officine, qui avait pour slogan « la plus vaste, la mieux approvisionnée, le meilleur marché du monde », attira les foules. Et quand il créa ses pastilles, le Dr Canonne ne laissa là non plus rien au hasard… Sur les réclames, son remède était associé à un personnage, le Dr Valda, un vieux bonhomme rond aux cheveux blancs qui inspirait confiance, avec ses lunettes, son haut-de-forme et sa belle redingote à laquelle était épinglée la Légion d'honneur. Le pharmacien fit ensuite appel aux plus grands affichistes pour réaliser ses publicités : Dubout, Savignac, Caillé… Antoine de Saint-Exupéry dessina même un condamné à mort se rendant sur l'échafaud en clamant : « Moi, je m'en fous, je suce des petites pastilles Valda. » Grâce à son omniprésence publicitaire, Henri Canonne réalisa des profits exceptionnels et il pouvait se targuer dans les années 1930 de vendre ses Valda « dans toutes les pharmacies du monde ». C'est à cette époque que les voyous qui surnommaient les balles de revolver des *pastilles* (par analogie de forme et de taille) se mirent à les appeler des *Valda*. Quant au commun des mortels, un *Tu la craches, ta Valda?* leur suffit, à la manière de *Tu craches le morceau?*

Si on lui tordait le nez, il en sortirait encore du lait

« Il est encore jeune; il n'a pas d'expérience. »

Sur le même mode que « Retourne dans les jupes de ta mère » ou « Va jouer dans le bac à sable », fut un temps où l'on ne parlait pas d'égal à égal avec plus jeune que soi... De même, quand un jeune homme se voyait traiter de « blanc-bec », il devait prendre son mal en patience avant qu'on le prenne au sérieux et attendre que les premiers poils de barbe naissent autour de sa bouche (son bec), encore imberbe.

Je lui ai volé dans les plumes

« Je ne me suis pas laissé faire; je l'ai attaqué physiquement ou verbalement. »

On doit probablement cette image aux combats de coqs. Au XIXe siècle et jusqu'au début de la Première Guerre mondiale, les habitants des campagnes et des grandes villes s'étaient entichés de ce jeu. Puis il passa de mode dans de nombreuses régions. Parallèlement, la législation française devint de plus en plus stricte, au point qu'elle finit par interdire cette pratique controversée. Cependant, les coqueleurs du Nord-

Pas-de-Calais réussirent à obtenir une dérogation en arguant de leur « tradition locale ininterrompue » (les amateurs de corrida obtinrent une dérogation similaire pour pratiquer la tauromachie dans le sud de la France). Leurs « gallodromes » sont donc toujours en activité mais la création de salles n'étant plus tolérée, ils sont condamnés à disparaître.

J'ai changé de crémerie

« J'ai désormais mes habitudes ailleurs. »

Du milieu du XIXe siècle au début du XXe siècle, la crémerie était un petit établissement où l'on pouvait acheter des produits laitiers, mais aussi consommer un repas bon marché – l'équivalent d'une cantine où l'on mangeait tous les jours. S'ils n'étaient plus satisfaits du service, les clients réguliers pouvaient donc *changer de crémerie* au sens propre.

Elle a un polichinelle dans le tiroir

« Elle est visiblement enceinte. »

Polichinelle est un personnage de la comédie italienne que l'on retrouve dans le théâtre de marionnettes français. Il est petit, grotesque, a un nez crochu et une voix nasillarde. Quand on parle de *secret de polichinelle*, on fait allusion aux traits communément admis de ce personnage qui parle fort, à tort et à travers. De même, on peut dire de quelqu'un qu'il a une *voix de polichinelle* : aiguë et désagréable. Aux XVIIIe et XIXe siècles, on fabriqua des poupées à l'effigie de ce personnage. Elles connurent un tel succès que les enfants eux-mêmes étaient parfois appelés des *polichinelles*. Puis, quand les théâtres de marionnettes devinrent moins nombreux, le jouet passa de mode, tout comme le surnom. Mais aujourd'hui l'expression familière *Elle a un polichinelle dans le tiroir* fait encore référence à la poupée, le bébé ayant une taille comparable.

Quelle greluche !

« Quelle cloche ! »

La *greluche* des années 1930 était une femme aux mœurs légères. Au fil du temps, elle est devenue une personne pas très futée. Ce terme vient de *greluchon*, lui-même formé à partir de *grelu*, « gueux ». Le *greluchon* a connu à peu près le même sort que la *greluche*... Désignant d'abord l'amant de cœur d'une femme entretenue par un ou plusieurs hommes, il est descendu au rang de jeune homme insignifiant.

Il y en a plus qu'un curé peut bénir

« Il y a beaucoup de monde, de choses. »

En 1905, la loi promulguant la séparation de l'Église et de l'État est votée. La liberté de culte est reconnue, mais l'État cesse de rétribuer les ministres des cultes des confessions représentées en France : le catholicisme, le protestantisme et le judaïsme. Seule l'Alsace-Moselle fait exception : la région fait alors partie de l'Empire allemand et, quand elle redevient française en 1918, elle obtient de ne pas subir cette réforme. Curés, pasteurs et rabbins de ces départements sont donc encore de nos jours des fonctionnaires tandis que leurs évêques sont nommés par le président de la République ! Au début du XXe siècle, les anticléricaux n'en restent pas moins virulents contre les gens d'Église, qualifiant les curés de *curetons* ou de *curaillons* et parlant de *boniments de curé* pour qualifier un discours trompeur. Et quand quelqu'un marque ostensiblement son hostilité vis-à-vis de la religion ou des prêtres eux-mêmes, on dit qu'il *bouffe du curé*. Quant à l'expression *Il y en a plus qu'un curé peut bénir*, elle ne relève pas d'une charge contre les ecclésiastiques mais d'un simple constat : il y a vraiment trop de monde…

C'est l'heure du laitier

« Il est très tôt. »

L'expression remonte à l'époque où les citadins se faisaient livrer le lait. Les laitiers se levaient aux aurores pour effectuer leur tournée avant le petit déjeuner de leurs clients. Ils se réveillaient donc *entre chien et loup*, au moment de la journée où l'on ne peut distinguer un chien d'un loup, où l'on commence à voir les contours sans pouvoir visualiser les détails, la formule faisant également référence à la tombée de la nuit.

Ça lui va comme un tablier à une vache

« Ce vêtement lui va très mal. »

Rien de tel que de comparer un être humain à un animal pour se moquer de lui ou le dévaloriser : *manger comme un cochon, être bête comme un âne, fier comme un pou**... Avec un degré supplémentaire, en affublant l'animal d'un vêtement réservé à l'homme, *Ça lui va comme un tablier à une vache* ou *Ça lui va comme un faux col à une vache* marquent le caractère grotesque ou inapproprié d'un accoutrement. Dans le même sens, on trouve l'expression *être fichu* ou *fagoté comme l'as de pique*, « physiquement mal foutu », mais aussi « mal habillé ». Si l'origine de cette expression reste inexpliquée par les linguistes, ils notent que, au XVIIe siècle, on qualifiait un niais d'*as de pique*. La forme du pique sur les cartes à jouer, représentant un fer de lance stylisé, aurait donné naissance au sens argotique de « croupion de volaille » puis, par extension, de « cul », avant de s'affaiblir en « imbécile ».

Il est ballot

« Il est un peu stupide. »

À l'origine, le *ballot* était une petite balle : un chargement de marchandises enveloppées dans une grosse toile pour être transportées. Au début du XXe siècle, on se faisait traiter de *ballot* ou on *avait tout du ballot*. Une

* Voir les expressions *C'est un tour de cochon*, p. 83, *Il est bête à manger du foin*, p. 39, et *Il est fier comme un pou*, p. 135.

personne un peu sotte, sans réaction, était comparée à un paquet qu'on pouvait trimballer sans ménagement ! Et l'apostrophe *Au bout du quai, les ballots !* servait à éloigner les imbéciles… Il faut savoir qu'à cette époque les trains étaient composés d'un fourgon de marchandises à l'arrière (au bout du quai) et de voitures destinées aux passagers à l'avant. De nos jours, en revanche, on se réfère davantage à une situation, *C'est ballot* étant une autre façon de dire « c'est dommage ».

Il a mis les bouts

« Il a filé précipitamment ;
il est parti définitivement. »

C'est au début du XXe siècle qu'est apparue cette expression, version abrégée d'une autre formule : *mettre les bouts de bois*. À cette époque, en argot, les *bouts de bois*, les *bois*, les *baguettes* et même les *bambous* étaient des synonymes de jambes. On pouvait aussi dire *Il a pris la poudre d'escampette*, « il a déguerpi », qui vient de l'occitan *escamper*, « se délivrer, se sauver ».

C'est du pipi de chat

« C'est une boisson insipide
ou de mauvaise qualité ;
ça n'a pas d'importance. »

Pisser a longtemps été employé dans le langage courant au lieu du verbe *uriner*, réservé aux médecins. Puis, bizarrement, il est devenu vulgaire au XIXe siècle et on lui a préféré *faire pipi*. *C'est du pipi de chat*, c'est-à-dire « ça n'a pas de valeur », paraît donc moins choquant que *Laisse pisser le mérinos*, « inutile de réagir ». Quant à cette expression, elle s'inspire de *Laisse pisser la bête*, qui signifie « attends » chez les cavaliers, en remplaçant pour blaguer le cheval (la bête) par un mouton (le mérinos)... Quoi qu'il en soit, vulgaire ou pas, quand on *a une envie de pisser qui ne tiendrait pas dans un panier à salade*, mieux vaut se dépêcher.

On a taillé une bavette

« On a bavardé simplement. »

Même si l'analogie est tentante, il n'est pas question de ménagères qui discutent chez le boucher en attendant qu'il leur découpe un morceau de viande. *Bavette* vient du mot *bave*, tout comme *bavard* ou *bavardage*, et *tailler une bavette* est une allusion au fait de dépenser sa salive. D'ailleurs, au XVe siècle, *bave* signifiait « bavardage ». Et que fait-on quand on écoute quelqu'un parler des heures ? On lui *tient le crachoir* !

C'est la montagne qui accouche d'une souris

« Le résultat du projet est dérisoire par rapport à ce qu'on avait espéré. »

Horace l'utilisait déjà avant notre ère, mais c'est Jean de La Fontaine qui a popularisé l'expression dans sa fable *La Montagne qui accouche* :

« Une montagne en mal d'enfant
Jetait une clameur si haute,
Que chacun au bruit accourant
Crut qu'elle accoucherait sans faute,
D'une cité plus grosse que Paris :
Elle accoucha d'une souris. »

Sale coup pour la fanfare !

« Ça tombe mal ; c'est un coup dur. »

L'expression pourrait être reprise d'une réplique de théâtre ou d'un refrain de chanson à succès. Elle est née au début du XXe siècle, au moment où les fanfares et les orphéons, des groupes populaires composés de choristes et de musiciens, étaient en vogue. Si on comptait 2 500 formations musicales en 1875, elles étaient en effet passées à 10 000 en 1900 ! Dans les années 1880-1890, beaucoup de kiosques à musique furent édifiés dans les squares des villes, petites ou grandes. C'était le lieu de rassemblement des mélomanes à une époque où ils n'avaient pas les moyens d'écouter de la musique chez eux, le Gramophone venant tout juste d'être inventé*.

* Voir l'expression *Il est vacciné avec une aiguille de phono*, p. 40.

T'as la berlue !

« Tu as des hallucinations. »

Berlue vient de l'ancien français *belluer*, « éblouir, tromper ». Au XVIe siècle, les médecins qualifiaient de *berlue* une lésion de l'œil qui faisait voir des objets imaginaires, tels que des mouches. Ce trouble de la vision a donné naissance à l'expression *avoir la berlue*, « voir les choses en déformant la réalité » et, plus généralement, « se faire une idée fausse de quelque chose ». En argot est même apparu au milieu du XXe siècle le verbe *se berluer*, « se faire des illusions », qui existait déjà en patois picard. Et si aujourd'hui l'expression est passée de mode, on dit toujours d'une personne stupéfaite qu'elle est *éberluée*.

Je lui réserve un chien de ma chienne

« Je me vengerai. »

L'expression en rappelle deux autres : *œil pour œil, dent pour dent* et *rendre la monnaie de sa pièce*. Celui qui s'est mal comporté paiera à la mesure de ce qu'il a fait subir. C'est le principe de la loi du talion, que l'on retrouve notamment dans l'Ancien Testament :

> « Si un homme provoque une infirmité chez un compatriote, on lui fera ce qu'il a fait : fracture pour fracture, œil pour œil, dent pour dent ; on provoquera chez lui la même infirmité qu'il a provoquée chez l'autre. »

Dans le Nouveau Testament, Jésus s'y oppose :

« Vous avez appris qu'il a été dit : Œil pour œil et dent pour dent. Et moi, je vous dis de ne pas résister au méchant. Au contraire, si quelqu'un te gifle sur la joue droite, tends-lui aussi l'autre. À qui veut te mener devant le juge pour prendre ta tunique, laisse aussi ton manteau. »

Il nage comme un fer à repasser

« Il ne sait pas nager ; il nage difficilement. »

Durant la Première Guerre mondiale, les marins surnommaient les cuirassés, ces énormes navires de guerre difficiles à manœuvrer, des *fers à repasser*. Un être humain peut *nager comme un fer à repasser* ou *comme un chien de plomb*, l'idée est la même : il n'est pas loin de couler !

Il y a les jours avec et les jours sans

« Il y a des jours où ça va, d'autres, non. »

Cette phrase fait allusion aux restrictions alimentaires lors de la Seconde Guerre mondiale. D'août 1940 à octobre 1941, le ministère du Ravitaillement rationne de plus en plus de denrées : pain, pâtes alimentaires, sucre, beurre, fromage, viande, café, charcuterie, œufs, huile, chocolat, poisson frais, légumes secs, triperie, pommes de terre, lait et vin, voire légumes frais épisodiquement. Et les mercredis, jeudis et vendredis deviennent officiellement des jours sans viande. Mais, évidemment, ce n'est pas parce qu'elle est distribuée qu'on en mange forcément… Pour la population, les *jours avec* s'opposent alors aux *jours sans* viande. Les portions sont réduites et les queues devant les magasins s'allongent… Rien d'étonnant que certaines personnes tenaillées par la faim en soient réduites à des extrémités. Ainsi, le 31 octobre 1941, plusieurs journaux publient cet avis :

> « Mangeurs de chats, attention !
> Par ces temps de restriction, certaines personnes affamées ne craignent pas de capturer des chats pour en faire un bon civet. Ces personnes ne connaissent pas le danger qui les menace. En effet, les chats, ayant comme but utilitaire de tuer et manger les rats porteurs de bacilles les plus dangereux, peuvent être, de ce fait, particulièrement nocifs…* »

C'est pour sa pomme

« C'est pour lui. »

Mézigue, *tézigue*, *sézigue*, « moi », « toi », « lui », sont tous construits à partir du mot *zigue***, qui signifiait « type »… Au xxe siècle, cette façon argotique de parler de soi a connu des variantes aussi différentes que *mes os*, *tes os*, *ses os* ou *ma pomme*, *ta pomme*, etc. En 1936, Maurice Chevalier chantait d'ailleurs :

> « Ma pomme, c'est moi
> […] pour être heureux comme
> Ma pomme
> Ma pomme

* *La Vie des Français sous l'Occupation*, Henri Amouroux, Fayard, 1961.

** Voir l'expression *C'est un sacré loustic*, p. 17.

Il suffit d'être en somme
Aussi peinard que moi. »

Avant de désigner la personne tout entière, ce fruit représentait la tête, par analogie de forme. Au rayon fruits et légumes, on trouve aussi le *melon* et la *calebasse*. Sans oublier les expressions *Il n'a rien dans le citron*, *Il en a dans le chou*, *C'est une bonne poire* ou *C'est une tête de courge*, construites sur la même idée.

Il est sec comme une trique

« Il est très maigre. »

De temps à autre, la *trique*, un bâton qui sert de canne, peut servir à infliger une correction… L'expression *être sec comme un coup de trique* joue à la fois sur l'image du bout de bois peu épais et sur l'idée de coup sec. On dit également *sec comme un cotret*, le *cotret* étant un petit fagot mais aussi un morceau de bois. Et qu'est-ce qu'on peut bien en extraire ? Du *jus de cotret*, au sens de « coups de bâton ». D'autre part, quand un homme est en érection, on dit vulgairement qu'il a… *la trique*. Cette fois, c'est la raideur qui prime…

Tu as la danse de Saint-Guy ou quoi ?

« Arrête de gigoter. »

Dans le vocabulaire médical, la *danse de Saint-Guy* est appelée *chorée de Sydenham*, *chorée* venant du latin *chorea*, « danse ». Cette maladie nerveuse provoque chez l'enfant qui en est atteint des mouvements désordonnés incontrôlés. Détournée, l'expression s'adresse à un enfant turbulent, qui ne parvient pas à rester en place. Elle a inspiré le dadaïste Francis Picabia, qui a donné ce nom à l'une de ses œuvres uniquement constituée d'un cadre, de ficelles et de trois étiquettes, mais aussi, dans un tout autre registre, la chanteuse grecque Nana Mouskouri, avec son *Bougeotte Boogie* :

> « Il a la bougeotte, le boogie
> Il aime bouger, le boogie
> Victime de la danse de Saint-Guy
> C'est tout le contraire d'un yogi. »

Il s'est fait blackbouler

« Il n'a pas été retenu ; il a été rejeté. »

Blackbouler s'est formé au XIXe siècle à partir du verbe anglais *to blackball*. Les Britanniques qui faisaient partie de clubs votaient l'admission d'un nouveau membre avec des boules de couleur qu'ils déposaient dans une urne. Avec les blanches, le candidat était retenu ; la majorité de noires l'excluait. Aujourd'hui, nous ne *blackboulons* plus, mais nous *envoyons* facilement *bouler*.

Il est fier comme Artaban

« Il est particulièrement fier. »

Artaban est un des personnages principaux de *Cléopâtre*, un roman de Gautier de Coste de La Calprenède écrit au XVIIe siècle. Si l'ouvrage a été quelque peu oublié par l'histoire littéraire, on fait toujours mention de son héros personnifiant la fierté.

Très populaire, l'expression a même inspiré plusieurs variantes jouant sur les sonorités : *fier comme un bar-tabac* ou *fier comme un petit banc*. En 1977, Coluche, dans son sketch *Le Clochard analphabète*, s'amusait à détourner des classiques, aboutissant à des trouvailles telles que « Tu es la troisième roue du carrosse », « Tout le monde peut pas être sorti de la cuisine à Jupiter » et « Il est fier comme s'il avait un bar-tabac ».

On n'est pas aux pièces

« Du calme ; inutile de se presser. »

L'expression fait allusion au travail aux pièces, quand la rémunération des ouvriers se faisait en fonction de leur production : ils étaient payés pour chaque objet qu'ils fabriquaient. Karl Marx dénonce ce système dans *Le Capital*, paru en 1867 :

> « Le salaire aux pièces étant donné, il est naturellement dans l'intérêt personnel de l'ouvrier de solliciter sa force de travail avec la plus grande intensité possible, ce qui facilite pour le capitalisme l'élévation du degré d'intensité normal. De même, il est dans l'intérêt personnel de l'ouvrier d'allonger la journée de travail parce qu'ainsi son salaire journalier ou hebdomadaire augmente. D'où, aussi, la réaction déjà décrite pour le salaire au temps, sans compter que l'allongement de la journée de travail, même si le salaire à la pièce reste constant, inclut en soi un abaissement du prix du travail.* »

* *Le Capital*, Karl Marx, Quadrige-Presses universitaires de France, 1993.

Il est tranquille comme Baptiste

« Il est imperturbable. »

Dans les petites pièces comiques populaires, on aurait surnommé Baptiste le personnage un peu niais qui se faisait rouer de coups et maltraiter sans se rebeller. Une situation qui n'est pas sans rappeler les scènes du théâtre de Guignol, créé par Mourguet en 1795. Guignol, le personnage principal, est une marionnette représentant un canut lyonnais qui, au contraire de Baptiste, est prodigue en coups de bâton...

C'est le mariage de la carpe et du lapin

« C'est une mésalliance entre deux personnes ; les deux choses sont incompatibles. »

L'union *de la carpe et du lapin*, d'un poisson et d'un mammifère, contre nature, est vouée à l'échec... Quand il va se marier, un homme peut avoir l'impression de *se mettre la corde au cou*, se sentant pris au piège. Si l'union devant monsieur le maire lui fait vraiment peur, il a toutefois la possibilité de rester *marié de la main gauche*, c'est-à-dire de « vivre en concubinage ». Il peut même *avoir des enfants de la main gauche* ! Des expressions incompréhensibles car aujourd'hui, en France, on porte l'alliance à l'annulaire gauche... En réalité, elles viennent d'une époque où la bague se passait à la main droite. En ce temps-là, quand un noble se mariait avec une roturière, il pouvait lui donner la main gauche lors de la cérémonie. Il signifiait par ce geste qu'il ne transmettait son rang ni à sa femme, ni à leur future progéniture.

Il est fier comme un pou

« Il est arrogant, prétentieux. »

Mais pourquoi ces parasites qui pullulent sur nos têtes afficheraient-ils une telle suffisance ? On a du mal à se l'imaginer... En fait, ce *pou*-là n'a rien à voir avec l'insecte : le mot vient de l'ancien français *pouil* et fait référence au jeune coq ! La forme entière de l'expression était même *fier comme un pou sur son fumier*. D'ailleurs, on qualifie toujours de *coq* un homme prétentieux et sûr de sa séduction.

Il n'y en a pas plus que du beurre en broche

« Il n'y en a pas du tout. »

Les variantes *Il n'y en a pas plus que du beurre en branche* ou, plus vulgairement, *au cul*, ont aussi rencontré leur petit succès. Ces propos aussi obscurs qu'incongrus n'ont d'autre but que de proclamer « il n'y a rien ». Par ailleurs, on entend parfois qualifier un discours de *connerie en branche*, c'est-à-dire de « grand n'importe quoi », l'étendue de la bêtise grandissant comme l'arbre se ramifie.

Je m'en soucie comme d'une guigne

« Je n'en ai rien à faire. »

À ne pas confondre ! Quand on *a la guigne*, c'est qu'on manque de veine : le mot *guigne* vient dans ce cas de *guignon*, « malchance », lui-même tiré de *guigner*, « regarder de travers »... Auparavant, poursuivi par la malchance, on *avait du guignon*. En revanche, quand on *se soucie de quelque chose comme d'une guigne*, on n'y prête littéralement pas plus d'importance qu'à une cerise, puisque le mot est cette fois dérivé du latin médiéval *guina*, qui a donné « griotte » en allemand. De la même manière, nos grands-mères s'exclamaient parfois *des queues de cerises !* pour dire « c'est peu de chose » ou « rien ». Mais on se mélange les pinceaux avec toutes ces histoires... La preuve, quand on *a la cerise*, on « joue de malchance ».

Ça lui a coupé le sifflet

« Ça l'a fait taire ; il est resté interloqué. »

Au figuré, le *sifflet* désigne la gorge, organe qui nous permet de produire des sons. On peut aussi faire taire quelqu'un en lui *coupant la chique*. Cette expression vient de l'époque où les gens chiquaient, mâchant des feuilles de tabac* – des personnes que l'on imagine sans peine interrompre leur mastication et rester bouche bée sous le coup de la surprise. *Couper le sifflet* a, d'autre part, le sens plus définitif d'« égorger ».

* Voir l'expression *C'est clair comme du jus de chique*, p. 43.

Il parle français comme une vache espagnole

« Il s'exprime très mal en français. »

Les Français préfèrent attribuer à leurs voisins les travers qu'ils se découvrent parfois : *avoir une querelle d'Allemand* (« sans motif »), *filer à l'anglaise* (« en douce »), *manger en Suisse* (« en cachette »), *payer à l'espagnole* (« en donnant des coups »)... Dans le *Dictionnaire des expressions et locutions*, Alain Rey et Sophie Chantreau émettent l'hypothèse que dans *Il parle français comme une vache espagnole*, le mot *espagnole* vienne simplement renforcer *comme une vache*, qui signifiait déjà « très médiocrement ». Ce sens péjoratif et insultant, on le retrouve dans *Il est sorcier comme une vache espagnole*, « il est maladroit, incapable ».

Il fume comme une cheminée d'usine

« Il fume énormément. »

Auparavant, on *fumait comme une locomotive*. Ensuite, c'était plutôt *comme une cheminée* ou *comme un sapeur*... Dans ce dernier cas, il s'agit d'un raccourci (plus précisément d'une métonymie), le sapeur-pompier se rendant sur les lieux d'incendies importants. Et on offrait *la cigarette du condamné* à celui qu'on allait exécuter : il avait bien le droit de s'en griller une petite dernière avant de mourir ! Faut-il rappeler que le dernier condamné à mort a été guillotiné en 1977 et que la peine capitale n'a été abolie qu'en 1981 ? Jusque-là était inscrit dans le code pénal : « Tout condamné à mort aura la tête tranchée. » Cet article valut une scène d'anthologie à Fernandel dans *Le Schpountz* (1948), qui la récitait tour à tour sur un ton craintif, pris de pitié, interrogatif, affirmatif, pensif et même comique.

Il est mou comme une chiffe

« Il est apathique ; il est veule. »

Les maniaques du ménage se servent très souvent d'une *chiffe* : un *chiffon*. Si seul le mot dérivé est resté dans le langage courant, on employait couramment *chiffe* auparavant. De quelqu'un, on a aussi pu dire qu'il était *mou comme une chique*, d'une part parce que la sonorité est très proche, d'autre part parce qu'un morceau de tabac copieusement mâchouillé est un peu plus dégoulinant mais tout aussi mou et avachi qu'un vieux bout de tissu.

Le drapeau noir flotte sur la marmite

« Il n'y a plus d'argent pour faire vivre la maisonnée. »

Traditionnellement, le drapeau blanc est agité en signe de reddition ou de trêve au cours d'une bataille. Le drapeau noir, lui, est l'étendard des pirates et des anarchistes. Cette couleur est aussi synonyme de malheur, comme lorsqu'on parle de *série*, d'*année* ou de *jour noir*, comme le fameux *Jeudi noir*, qui évoque le krach boursier du 24 octobre 1929. Michel Audiard reprit l'expression à son compte, en intitulant ainsi l'un de ses films. *Le drapeau noir flotte sur la marmite* sortit en 1971 avec, à l'affiche, Jean Gabin et Ginette Leclerc.

Comme on fait son lit, on se couche

« Il faut assumer les conséquences de ses actes. »

Dans les dictons, la sagesse populaire nous enjoint souvent de réfléchir aux conséquences de nos actes. Au XVIIe siècle, *Qui se couche avec des chiens se lève avec des puces* mettait en garde les gens qui avaient de mauvaises fréquentations. Plus connus, *On ne fait pas d'omelette sans casser des œufs* rappelle qu'il faut faire des sacrifices pour atteindre son but et *Qui sème le vent récolte la tempête*, qu'une personne violente doit s'attendre à ce qu'on lui réponde par la surenchère. En 1991, dans *Qui sème le vent récolte le tempo*, le rappeur MC Solaar offrait une nouvelle jeunesse à ce proverbe, qui prenait soudain une tournure pacifique :

> « Le rock, la salsa, le twist et le reggae
> Petit à petit sans faire de bruit se sont imposés
> Car qui sème le vent récolte le tempo. »

Il lui a fait du gringue

« Il lui a fait la cour. »

Le mot *gringue* serait une variante de *grignon* ou *quignon*, « croûton de pain »... On peut rapprocher cette expression d'une autre, plus ancienne : *faire des petits pains pour quelqu'un*, c'est-à-dire « essayer de lui plaire ». Dans le pays de la gastronomie, les sentiments amicaux et amoureux, tout comme la séduction, sont associés à la nourriture : *être un chou*, *être à croquer*, *un papa gâteau*, *une mangeuse d'hommes*, *dévorer des yeux*, *faire des yeux de merlan frit*...

Il a décroché la timbale

« Il est parvenu à ses fins. »

Autrefois emblématique des fêtes populaires, le mât de cocagne faisait l'attraction. Les joueurs qui s'y essayaient devaient grimper au sommet d'un gigantesque mât planté dans le sol, copieusement enduit de savon. S'ils y parvenaient, ils pouvaient décrocher les lots – généralement de la nourriture – qui pendaient attachés à un large cerceau. Mais il pouvait aussi s'y trouver une timbale d'argent qui, une fois redescendue, était échangée contre un prix.

Ça baigne dans l'huile

« Tout va très bien. »

Avec l'industrialisation et l'émergence de l'automobile, les Français du début du XXe siècle deviennent friands d'expressions liées à la mécanique. *Ça baigne dans l'huile* rappelle les moteurs ou les rouages des machines qui ne fonctionnent bien que s'ils sont suffisamment alimentés en huile. De même, on exige des travailleurs de *mettre de l'huile de coude*, *de bras* ou *de poignet* : ils doivent agir avec énergie. On se met aussi à faire les choses *en quatrième vitesse*, c'est-à-dire « très vite » – la quatrième étant alors la vitesse la plus élevée d'une voiture –, ou bien *sur les chapeaux de roues* – comme une voiture roulant à une telle allure que les enjoliveurs sont près de toucher le sol dans les virages. Enfin, on ne manque pas d'épingler une personne pas très vive en lui lançant *T'as des ratés dans le moteur* ou *Tu es longue à l'allumage*.

Il fait suer le burnous

« Il exploite ses employés. »

Le *burnous* est un vêtement traditionnel du Maghreb, un manteau en laine sans manches avec une capuche. L'expression est employée pour dénoncer un patron qui ne ménage pas ses employés, qui les maltraite en les sous-payant. Auparavant, on *faisait suer le paysan*. Puis, avec la colonisation, l'image s'est déplacée et on a *fait suer le burnous*.

Il a pris ses cliques et ses claques

« Il est parti précipitamment en emportant toutes ses affaires. »

Clic, *clac*, *clic*, *clac*, entend-on dans la rue quand un passant bat le pavé… La personne qui *prend ses cliques et ses claques* s'éloigne en effet en produisant un bruit sec de pas précipités. D'ailleurs, le mot *cliques* a signifié dans certains dialectes « jambes », tandis que *claques* a longtemps été employé pour « chaussures », en particulier pour qualifier des sur-chaussures (qui s'enfilent au-dessus de celles qu'on porte afin de les protéger des intempéries) et désigne toujours, en cordonnerie, la partie avant d'un soulier. On s'enfuit, certes, quand on *prend ses cliques et ses claques*, mais pas seulement, puisqu'on s'encombre aussi désormais de toutes ses affaires… Ce qui n'est pas le cas quand on part rapidement en *prenant ses jambes à son cou*. Dans ce cas-là, le mouvement des membres, proches de la tête, évoque l'image d'un coureur.

Je rends mon tablier

« Je démissionne. »

L'expression s'est généralisée mais, à l'origine, seuls les domestiques l'utilisaient : quand ils quittaient leur emploi, ils rendaient réellement le tablier que leur patron leur avait fourni pour le service. Aujourd'hui, quand les journaux en font leurs gros titres, c'est pour évoquer la démission d'un PDG, d'un politique ou d'un entraîneur sportif.

Il a les pieds en bouquet de violettes

« Il est au comble de la jouissance ; il passe du bon temps. »

Quand on est particulièrement détendu, on a *les doigts de pied en éventail*. De même, les *pieds en bouquet de violettes* s'épanouissent comme une composition florale parce qu'on est relaxé ou qu'on a éprouvé un plaisir intense… Comme dans la chanson *Mon petit amour* (1965), de Pierre Perret :

> « J'avais ma claque de ces drôlesses
> Qui se tortillent avec tendresse
> Qui disent : lève mes jupes chéri
> Et tu verras Montargis […]
> Quand j'ai connu mon Agathe
> Ma jolie petite tomate
> J'avais le cœur par-dessus tête
> Et les pieds en bouquet de violettes. »

Il lui a donné une avoine

« Il l'a frappé, roué de coups. »

Dans l'argot des cochers, l'*avoine* ou l'*avoinée* était un coup de fouet que l'on administrait à son cheval pour l'exciter ou le faire avancer. Comme la promesse de nourriture, la cravache avait l'effet de faire repartir l'animal. Et quel traitement réservait-on à l'âne qui refusait de bouger ? *La carotte ou le bâton.* Avec nous aussi, il faut parfois choisir entre la méthode douce et la méthode forte…

Il a tiré le bon numéro

« Il a trouvé la perle rare. »

Jusqu'à la fin du XIXe siècle, la conscription se faisait par tirage au sort. Selon le numéro qu'ils recevaient, les hommes effectuaient six mois, un an ou cinq ans de service ! Ce système était d'autant plus injuste que ceux qui en avaient les moyens pouvaient rétribuer quelqu'un pour les remplacer… Les moins bien lotis avaient donc tout intérêt à *tirer le bon numéro*, celui qui les exemptait. Petit à petit, les choses ont changé : d'abord, le remplacement a été interdit, puis on a supprimé le tirage au sort. Et, en 1905, le service militaire est devenu égalitaire : chaque citoyen devait accomplir deux années obligatoires.

Il ne faut pas te mettre la cervelle à l'envers

« Ne t'inquiète pas. »

De temps à autre, cela nous arrive à tous de nous *mettre la cervelle à l'envers*. Un moment désagréable, mais sûrement préférable à *ne pas avoir de cervelle* ou *avoir une cervelle de moineau*… Et quand on sait que l'adjectif *écervelé* est tiré du verbe *escerveler* qui signifiait au XIIe siècle « casser la tête et faire jaillir la cervelle » avant de prendre son sens figuré, on se dit que ça ne fait pas de mal d'*avoir du plomb dans la cervelle*, d'« être équilibré »…

Il a l'œil américain

« Il est observateur. »

L'Indien d'Amérique revêt des peaux de bêtes, communique par signaux de fumée et… a une vue particulièrement perçante : une image d'Épinal à laquelle on fait référence quand on emploie cette expression. En France, la traduction du roman *Le Dernier des Mohicans*, de James Fenimore Cooper, rencontra un grand succès au XIXe siècle et contribua à rendre populaires les histoires de Peaux-Rouges. Parallèlement, des exhibitions racistes, les zoos humains, déplaçaient les foules. Ainsi, Albert Geoffroy Saint-Hilaire (le petit-fils d'Étienne Geoffroy Saint-Hilaire, le célèbre naturaliste), directeur du Jardin d'acclimatation, organisa en 1877 deux « spectacles ethnologiques » avec des Nubiens et des Esquimaux qu'il exposa comme des sauvages entourés d'animaux. Et dans tout le pays, des expositions coloniales reconstituant des villages « indigènes » firent sensation jusqu'à la Seconde Guerre mondiale. Les cirques n'étaient pas en reste : le célèbre Buffalo Bill lui-même fit deux tournées en France avec son *Wild West Show*, en 1889 et 1905. Il y mettait en scène la vie dans l'Ouest américain : les attaques de Peaux-Rouges repoussées par les éclaireurs et les cow-boys, Buffalo Bill en chasseur de bisons, le cavalier du Pony Express qui parcourait le pays avec sa sacoche légendaire… Les Indiens qui faisaient partie du spectacle contribuèrent largement à son succès : parés de leurs costumes traditionnels, ils parlaient leur langue, habitaient des tipis, montraient leurs armes, leurs coutumes et leur mode de vie au public. Exotique ! En Amérique, même les grands chefs Geronimo et Sitting Bull participèrent à certains de ces shows. Selon Jacques Portes, auteur d'une biographie de Buffalo Bill, le *Wild West Show* est le « premier exemple réussi d'internationalisation de la culture américaine* ». Ce n'est pas un hasard si, pour fêter les

* *Buffalo Bill*, Jacques Portes, Fayard, 2002.

cent ans du passage en France de ce show, Disneyland Paris a repris ce spectacle en 2005.

Il lui a donné des noms d'oiseau

« Il l'a copieusement injurié. »

Il est fier comme un paon, Il a une cervelle de moineau, Il parle comme un perroquet, C'est une dinde, une bécasse, un pigeon… Souvent négatifs, les noms d'oiseau sont loin d'être des compliments. Parfois, cependant, ils sont prononcés affectueusement : *ma poule, mon poulet, mon poussin, mon canard…*

Il a le béguin

« Il s'est entiché de quelqu'un. »

Avant tout, le *béguin* désignait la coiffe très serrée des béguines, des religieuses des Pays-Bas et de Belgique. Le verbe *embéguiner* signifiait « être coiffé d'un béguin ou d'un couvre-chef similaire », tandis que, au figuré, il a pris le sens de « s'entêter bêtement », mais aussi d'« être pris par une passion excessive ». L'expression *avoir le béguin pour quelqu'un*, c'est-à-dire « éprouver un sentiment amoureux », vient de là. On peut le comparer au verbe *se toquer*, qui signifie autant « avoir une idée précise en tête » que « s'enticher de quelqu'un ». Et faut-il rappeler que la toque est aussi un chapeau ?

Il y est allé franco de port

« Il l'a fait franchement. »

Encore aujourd'hui, on dit d'un colis qu'il est *franco de port* quand l'envoi a été payé par l'expéditeur. L'expression reprend cette formule en jouant sur les mots, puisque *franco* est également l'abréviation de *franchement*. On peut dire aussi *franco de port et d'emballage*, histoire de surenchérir. Pour Georges Brassens, ce sont ses amis loyaux et fidèles qui sont *franco de port* dans *Les Copains d'abord*.

Tu deviendras quelqu'un si les petits cochons ne te mangent pas

« Tu es promis à un bel avenir, pourvu qu'il ne t'arrive rien de fâcheux. »

Drôle de retournement de situation : dans les contes, c'est le loup qui mange les cochons, mais ici ce sont les enfants qui doivent craindre ces animaux qu'on dit inoffensif ! La réalité est en effet bien plus cruelle que les histoires qu'on raconte aux petits… Dans la cour d'une ferme, canetons et poussins doivent se méfier de ces bêtes omnivores, capables de les avaler tout crus s'ils se trouvent sur leur chemin.

Il est comme un éléphant dans un magasin de porcelaine

« Il est maladroit. »

C'est imparable : celui qui *est comme un éléphant dans un magasin de porcelaine* va commettre une bourde dans une affaire délicate ! On retrouve une belle mise en scène de cette expression dans l'*Encyclopédie des farces et attrapes et des mystifications**, qui dresse notamment le portrait de Jim Moran. Cet humoriste américain se targuait de pratiquer le « *Hot-Foot* mental » : sa philosophie consistait « à secouer – ou à essayer de secouer – les habitudes mentales des gens, à détruire les clichés, à remplacer la phrase, l'action, le geste attendu par une phrase, une action, un geste qui soit, autant que possible, leur contraire absolu. C'est une sorte de contrepèterie non verbale ». Ce qui donna les expériences suivantes :

> « Il administra une quantité effroyable de whisky à un cochon afin de vérifier la valeur de l'expression "saoul comme un cochon" ; il démontra l'inexactitude de l'affirmation "comme un éléphant dans un magasin de porcelaine" en introduisant un éléphant dans un magasin de porcelaine (les seuls dégâts se limitèrent à deux tasses et une soucoupe cassées – les trois objets ayant été brisés par un journaliste convoqué pour l'occasion) ; sur un terrain vague de

* *Encyclopédie des farces et attrapes et des mystifications*, publiée sous la direction de François Caradec et Noël Arnaud, Pauvert, 1964.

New York, il installa une botte de foin, y laissa tomber une aiguille et se mit à sa recherche ; il fit dresser une guérite sur la place de Times Square et mit en vente des petits pains afin de déterminer exactement comment se vendent les petits pains [...] »

Fais pas l'œuf !

« Arrête de jouer à l'imbécile. »

L'expression serait tirée de l'insulte *face d'œuf*, « nigaud », qui viendrait de l'analogie entre la forme d'un œuf et la tête d'un clown, à la figure longue et au crâne chauve. Mais la personne qui *fait l'œuf* n'a pas forcément un talent comique, contrairement à celui dont on disait, au XVIIe siècle, qu'*il ferait rire un tas de pierres*. Au début du XXe siècle, l'expression C'*est rigolboche*, « c'est drôle », était à la mode. Formé à partir de *rigolo*, ce mot le supplanta un temps au point que, en 1936, Christian-Jaque sortit un film sous le titre de *Rigolboche*. Mistinguett y incarnait une chanteuse qui se produisait sous ce pseudonyme. À cette époque, on s'amusait encore en *faisant la ribouldingue*, « la fête »... Un mot qui inspira à Louis Froton le nom d'un de ses Pieds Nickelés*.

* Voir l'expression *Il a les pieds nickelés*, p. 88.

Il ne faut pas jeter le manche après la cognée

« Il ne faut pas renoncer à ce qu'on avait entrepris, par désespoir ou par découragement. »

La *cognée* est une hache utilisée par les charpentiers et les bûcherons. Ici, le mot désigne spécifiquement le fer de l'outil. L'anecdote veut qu'un bûcheron qui coupait du bois ait vu la cognée se désolidariser du manche et tomber non loin, dans une eau profonde. Dépité, il y jeta la partie qui lui restait entre les mains.

C'est la der des ders

« C'est réellement la dernière. »

Attention, ne pas confondre *le der des ders*, qui évoque quelque chose que l'on considère comme définitif, et *le dernier des derniers*, lorsque l'on parle de quelqu'un dont on a une piètre opinion ! Aujourd'hui, pour nous, *la der des ders* fait référence à la Seconde Guerre mondiale : la dernière guerre que l'on a faite et qui, on l'espère, ne sera suivie d'aucune autre. Mais ce peut être aussi le dernier verre que l'on boit avant de partir ou la dernière partie que l'on joue avant de se quitter.

Remerciements

Merci aux grands-mères Babinet, Bergé-Lefranc, Bibring, Bizien, Boulinier, Chatillon, Decroix, Derimais, Delpech, Destremau, Donzel, Gautier, Goudard, Grancher, Granier, Grasset, Leroy, Manchado, Moine, Nouailhac, Poirier, Pouliquen, Prévost, Sedita, Tillier, Thiébault de la Crouée, Vial…

Principales ressources bibliographiques

Le Bouquet des expressions imagées, Encyclopédie thématique des locutions figurées de la langue française, Claude Duneton en collaboration avec Sylvie Claval, Éditions du Seuil, 1990.

Dictionnaire des expressions et locutions, Alain Rey et Sophie Chantreau, Le Robert, 1993.

Dictionnaire du français non conventionnel, Jacques Cellard et Alain Rey, Hachette, 1991.

Dictionnaire du français parlé, Le monde des expressions familières, Charles Bernet et Pierre Rézeau, Éditions du Seuil, 1989.

Dictionnaire historique de la langue française, sous la direction d'Alain Rey, Le Robert, 2006.

Dictionnaire historique des argots français, Gaston Esnault, Librairie Larousse, 1965.

Grand dictionnaire argot et français populaire, Jean-Paul Colin, première édition avec Jean-Pierre Mével et la collaboration de Christian Leclère, Larousse, 2006.

Grand Larousse de la langue française, sous la direction de Louis Guilbert, René Lagane et Georges Niobey, avec le concours d'Henri Bonnard, Louis Casati et Alain Lerond, Librairie Larousse, 1989.

Le Nouveau Petit Robert, Dictionnaire de la langue française, 1996.

La Puce à l'oreille, Les expressions imagées et leur histoire, Claude Duneton, Denoël, 2005.

Le Trésor de la langue française informatisé : http://atilf.atilf.fr

Index

L'astérisque (*) signale les expressions qui font l'objet d'une entrée.

A

B

C

D

E

F

G

H

I

J

L

M

N

O

P

Q

R

S

T

V

Y

Z

RÉALISATION : CURSIVES À PARIS
IMPRESSION : CORLET, IMPRIMEUR S.A.
14110 CONDÉ-SUR-NOIREAU
DÉPÔT LÉGAL : NOVEMBRE 2008. N° 97464-15 (126670)
IMPRIMÉ EN FRANCE